日本の家紋大事典

森本勇矢 著
日本家紋研究会 監修

日本実業出版社

はじめに

家紋は「家の紋」だが、冠婚葬祭以外の普段の生活でその存在を意識することは少ないかもしれない。

しかし、店先の看板やのれんなどに、家紋そのもの（ロゴマークや屋号など）やそれをモチーフにしたものがあしらわれているのを、通勤・通学や、買い物、散歩の途中などで一度ならず見たことがあるはずだ。

神社仏閣へ足を運ぶと、必ず神紋や寺紋を見かける。瓦一つにも、「巴」などの紋が刻まれているのである。

また、住友グループの「井桁」や、ＪＡＬの「鶴丸」といったように、有名企業のロゴマークも、モチーフは家紋であることが少なくない。

戦国・幕末をテーマにした映画や大河ドラマでは、家紋は欠かせない存在といえる。『水戸黄門』の「葵の御紋」を知らない人はいない。

近年は、戦国武将が大暴れするゲームやアニメが人気になっているが、そこでも家紋や旗印を見ることができる。

このように、「家紋」はたしかに私たちの生活に密着しているのだ。

日本の家紋の最も優れた点は、歴史的・文化的な役割もさることながら、その意匠・デザイン性にある。実際に、和柄ファッションなどに数多く用いられている。

ルイ・ヴィトンのトレードマークの「モノグラム」も、実は日本の家紋に触発されてデザインされたものといわれる。

本書は、ファッションやデザインへの応用として、世界的にも人気の高い「日本の家紋」を一挙網羅して紹介する一冊である。

紋帖の『平安紋鑑』を中心に、江戸期や明治期の紋帖、さらに『日本家紋総鑑』（全国の墓石から集めた拓本で、2万点が載る）などから、次世代に受け継がれていくべき家紋を厳選し、その数は5676点に及ぶ。

家紋の掲載にあたっては、①自然、②植物、③動物、④器材、⑤建造物、⑥文様、⑦文字、⑧図符・源氏香と、モチーフごとに分類し、一覧性・検索性を高めた。

それだけではなく、多くの人に「家紋の美しさ」「家紋の楽しさ」を感じていただけるように、個々の紋のサイズや並び順にもこだわっている。

本書は、家紋に興味をもつすべての人に、量・質ともに満足していただける一冊になっていると自負している。

この一冊をきっかけに、家紋のすばらしさを〝再確認〟していただければ幸いである。

なお、本書の執筆にあたり、日本家紋研究会の高澤等会長、そして父・森本景一に非常にお世話になった。その他お世話になった関係者の方に厚く御礼を申し上げます。

森本勇矢

日本の家紋大事典　目次

はじめに

序　章　家紋の基礎知識

1　家紋の歴史……10

2　家紋の分類……11

3　家紋のデザインの変化……14

第1章　自然紋

主な自然紋と特徴……22

稲妻（いなづま）……24

霞（かすみ）……25

雲（くも）……26

月（つき）・月星（つきぼし）……27

浪（なみ）……29

日足（ひあし）……30

山（やま）・山形（やまがた）・山路（やまみち・さんじ）……31

雪（ゆき）……33

その他……34

第2章　植物紋

主な植物紋と特徴……36

葵（あおい）……40

麻（あさ）……44

朝顔（あさがお）・夕顔（ゆうがお）……43

葦（あし）……44

粟（あわ）……44

銀杏（いちょう）……45

稲（いね）……47

梅（うめ）・梅鉢（うめばち）……48

瓜（うり）・瓢（ひさご）……51

車前草（おおばこ）……52

沢潟（おもだか）……53

杜若（かきつばた）……55

梶（かじ）……56

柏（かしわ）……58

片喰（かたばみ）……60

桔梗（ききょう）……63

菊（きく）・菊水（きくすい）……66

桐（きり）……70

葛（くず）……75

梔子（くちなし）……75

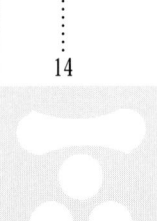

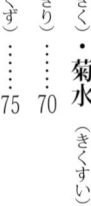

第3章　動物紋

第4章　器材紋

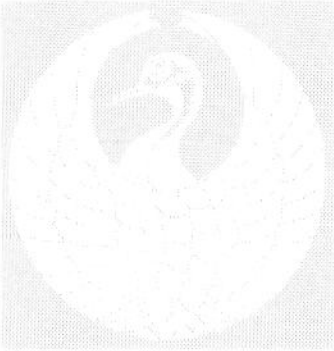

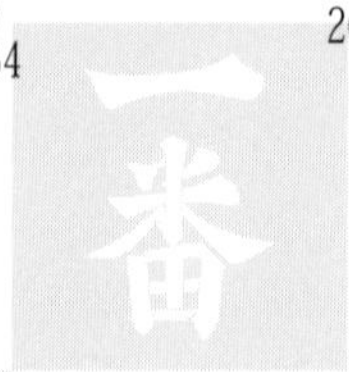

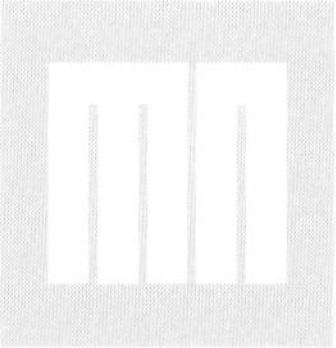

装丁／竹内雄二

序章　家紋の基礎知識

家紋の成り立ちや分類、デザインの変化などを
基礎知識としてまとめた。

1 家紋の歴史

家紋は「家の象徴」である。単に自分の家を表わす「印」であるだけではなく、その家の〝ルーツ〟ともいえる大切なものだ。

家紋の起源については諸説ある。ただ、紋章の大本は「文様」であり、それが転化して家紋になった例が非常に多い。

では、家紋はいつ頃から使われるようになったのだろうか。

《平安時代》

平安時代、藤原実季が御所車（公家の乗り物＝牛車）に「巴」を付けたことにより、家紋は始まったといわれる。宮中に出入りする車が多くなり、誰が乗っているかを表わす目印として使われたようだ。

その結果、個人の印＝家紋として、公家のあいだに広まった。しかしこの時代は、まだ装飾としての意味合いが強かったようである。

《戦国時代》

室町時代に多くの武家が紋を持つようになった。武家紋は、鎌倉時代・源平合戦における紅白の幟から始まった。

戦国期の紋は、敵味方を判別する目的で用いられた。遠目からでもわかるシンプルなデザインが多いが、見る人を畏怖させるデザインも存在することから、敵を威嚇する目的もあったと思われる。

同時に、馬印・陣旗紋・陣幕紋なども登場し、それらが家紋になったケースは少なくない。

安土桃山時代に千利休によって茶道が完成したが、茶道具紋などはこの時代に生まれている。

《江戸時代》

江戸時代に入ると、商家が「屋号」として紋を使用するようになる。これを真似たのが歌舞伎役者である。歌舞伎役者だけではなく、人気商売だった大相撲力士や落語家なども、手拭いに自身の紋を入れるなどして、贔屓客などに名刺代わりとして配ったという。

これを機に、江戸庶民のあいだにも紋が普及することになる。はじめは、あくまでもお洒落感覚、真似事にすぎなかったが、徐々に家紋に発展した。

《明治時代以降》

明治8（1875）年の『平民苗字必称義務令』により、国民すべてが苗字を持つことが義務化された。

明治時代以前は、庶民には苗字がなかったというのが定説となっている。一方、大名や旗本、大商人、藩お抱えの職人、有力百姓などは、「苗字帯刀」の名の下、大小二本の帯刀と苗字を公に名乗ることをすでに許されていた。

誰もが苗字を名乗るようになるとともに、家紋の数も一気に増えることになった。

明治時代以降、日本にタキシードが入ってくると、それに対応する衣服として「黒紋付」の紋服が選ばれた。この黒紋付の普及も、家紋の数が増えた一因になっている。

2 家紋の分類

家紋は、その名のとおり「家の紋」だが、紋章を含む総称としても用いられる。そもそも、紋の種類は主に五つに分けられる。

(1)家紋

継承される特性のある家の紋。複数の紋を持つ家では、代表の紋を「定紋」（本紋・表紋・正紋）、その他の紋を「替紋」（裏紋・別紋・控え紋）と呼ぶ。

(2)屋号

現在は、主に商用で用いられる紋。ロゴなど。

(3) 寺社紋

寺院、神社が用いる紋。寺紋・神紋と呼ばれる。

(4) 役者紋

歌舞伎や長唄、落語などの芸能に関わる者が用いる紋。

(5) 沖縄紋・アイヌ紋

沖縄県には「ヤーバン」（屋判）と呼ばれる家の記号がある。また、アイヌにも独自の紋章文化がある。

家紋はさらに、地域の慣習によって扱い方（呼び方）が変わることがある。

《女紋》

女性だけが使うことができる紋。家の娘が嫁ぐ際に、その家の定紋にアレンジを加えたり、替紋（裏紋など）を代用したりしてつくられたのが始まりのようだ。現在では、西日本に多く見られる。女系継承が代表的。「蔦」など。

《通紋》

誰でも使うことができる紋。その家の定紋の代わりに用いる。喪服や貸衣装に見られる「五三桐」が有名。現在では女紋として用いられることも多い。

《独占紋》

特定の家や個人が使用する紋。紋名に「家」が含まれる紋がこれに当たる。また、「細組合角に桔梗」は坂本龍馬の紋だが、このような個人だけが使う紋を、近年では個紋・私紋・洒落紋と呼ぶようになった。

蔦

五三桐

細組合角に桔梗

■モチーフによる分類（本書の場合）

自然現象（天文・地文）紋	日、月、星、雲、霞、雪、山、水、波などを象った紋章
植物紋	花・草木を象った紋章
動物紋	鳥獣、虫、水中生物のほか、伝説上の生き物を象った紋章
器材紋	日常生活で用いられる神仏具、武具、家具、工具などを象った紋章
建造物紋	寺社や家屋などの建物や、土木工事の道具を象った紋章
文様紋	古くから描かれる文様を紋章としたもの
文字紋	文字を象った紋章
図符紋	信仰や占いなどを目的とする図形が主で、源氏香も紋章化

■使用意義による分類

尚美的意義	形状が優美
瑞祥的意義	長寿、繁栄、出世などの良い事柄を連想させる（吉祥）
尚武的意義	戦勝を祈念する。“勝ち虫”と呼ばれた蜻蛉紋など
信仰的意義	宗教に関わる物象をモチーフとする
指示的意義	苗字の一字や図柄など
記念的意義	名誉の事績を記念する
肖《あやか》り的意義	名将などにあやかり、家紋とする

家紋は、血縁関係によって受け継がれるのが基本だが、「賜与」「譲与」「召上げ」「奪取」「借用」により移動することがある。

では、家紋の数はいったいどれくらいあるのだろうか。

日本の苗字の数は30万といわれ、家紋の数も約20万近くあるといわれるが、その数字は定かではない。

日本家紋研究会が把握している数だけでも、約3万にのぼる。

家紋はその数の多さから、さまざまな分類が試みられている。分類として代表的なものは前ページ図表のとおり。

3 家紋のデザインの変化

家紋は、基本的に苗字と対で用いられてきた。結婚し、本家から分家する場合など、本家の紋と分家の紋を区別する必要が生じる。そして次第に、家紋のデザインのバリエーションが増えていった。

家紋のデザインに大きく変化が現われたのは、江戸時代に入ってから。歌舞伎役者をきっかけとするブームの中、「紋師」（現在の紋章上絵師）の出現で、家紋がいっそう華やいだものになっていった。

なお、「洒落紋」（遊び紋）が流行ったのもこの頃である。定紋とは別に、お洒落として楽しむための紋で、「加賀紋」（定紋のまわりに友禅をあしらったものが代表例）や、「伊達紋」（大きな刺繍をあしらったもの）などがある。

「彩色紋」もそうである。

家紋のデザインは時代を追うごとに変化してきたが、原型が何であるのかが一目でわからなければならないという制限があり、その手法は次のようにおのずと限られた。

◎外枠や文様を付加する

一つは、紋章の周りを輪や角で囲う方法、もう一つは、剣や蔓などを付け加える方法である。

丸に五三桐

剣片喰

◎原型の面影を残しながら変形する

《陰陽》

面で表わすものを日向紋、線で表わすものを陰紋という。陰は目立たせない目的がある。

花菱

陰花菱

《表裏》

通常、紋章は表を描く。しかし、花弁などは裏から描く場合がある。

桜

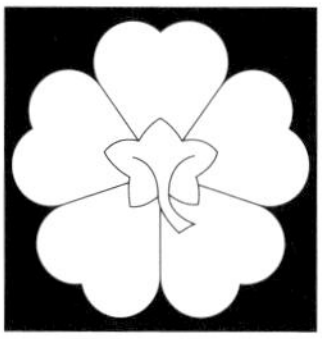
裏桜

《単複》

通常、花弁などは単弁で描くが、複弁で描く「八重」などもある。

桔梗

八重桔梗

《上下》

紋章の上下を入れ替える。「下がり藤」↓「上がり藤」など。

下がり藤

上がり藤

《鋭鈍》
通常、葉の縁は丸みを帯びる。そうではなく、鋭くとがらせたものを「鬼」と呼ぶ。「鬼蔦」など。

《画風》
たとえば、尾形光琳の画風を模した紋章は「光琳」の名称が付く。「光琳梅」など。

《真向き》
対象物を真正面から描いたもの。「真向き兎」など。

《向う》
植物を正面から描いたもの。「向こう梅」など。

《横見》
植物を横から描いたもの。「横見茶の実」など。

《覗き》
外枠の中に紋章の一部が下から現われている。目立たせない目的がある。」「中輪に覗き楓」など。

《隅立て》
方形の紋章を「◇」の形になるように置く。「隅立て四つ目」など。

鬼蔦

光琳梅

真向き兎

向こう梅

横見茶の実

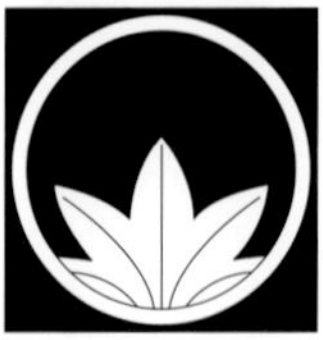
中輪に覗き楓

《平》
方形の紋章を「□」の形になるように置く。「平四つ目」など。

《折る》
花弁、葉、羽などを斜めに折る。「折れ鷹の羽」など。

《捻る》
花弁などをプロペラのように捻る。「捻じ梅」など。

《結び》
結んだ紐のように描く。「結び蔦」など。

《**擬態**》

揚羽蝶、浮線蝶、胡蝶、鶴、桐、巴など、人気の高い紋章に見立てる。「揚羽桔梗蝶」など。

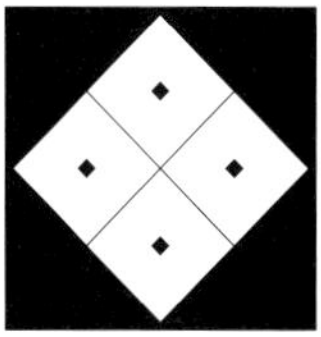
隅立て四つ目

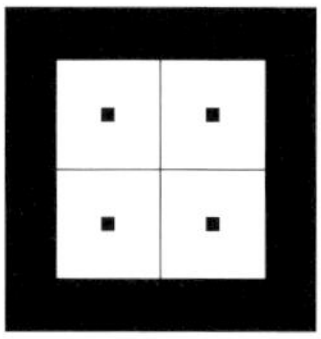
平四つ目

折れ鷹の羽

捻じ梅

結び蔦

揚羽桔梗蝶

◎原型を変形せずに同一の紋章を増やす

《**対**《むか》**い**》

同一の紋章を相対させる。左右に配置するものを「対い」、上下に配置するものを「上下対い」という。前者は「対い鶴」など、後者は「上下対い鳥」など。

対い鶴

上下対い鳥

《**寄せ**》

同一の紋章三つを中心に寄せて配置。紋章の上部を合わせると「頭合わせ」、下部を合わせると「尻合わせ」になる。前者は「頭合わせ三つ結び雁金」、後者は「尻合わせ三つ雁金」など。

頭合わせ三つ結び雁金

尻合わせ三つ雁金

《**並び**》

同一の紋章を二つ以上並べる。「三つ並び鷹の羽」など。

《**違い**》

同一の紋章を中央で交差させる。通常、左方を上に置く。「違い矢」など。

《抱き》
同一の紋章を抱き合わせる。「抱柏」など。

《重ね》
同一の紋章の一部を重ねる。「重ね地紙」など。

《盛り》
同一の紋章三つを品文字型に配置する。「三つ盛亀甲花角」など。

《離れ》
「寄せ」と逆で、同一の紋章を中心から離して配置。「離れ九曜」など。

三つ並び鷹の羽

重ね地紙

違い矢

三つ盛亀甲花角

抱柏

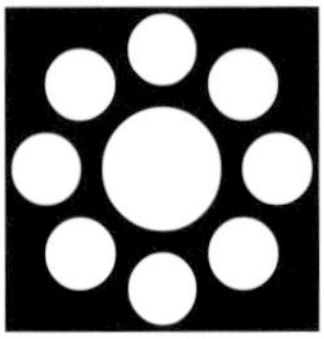
離れ九曜

《追い》
同一の紋章三つの頭部と尾部を接触させ、円状に配置。「三つ追い柏」など。

《持ち合い》
同一の紋章を二つ以上組み合わせて、一部を共有する。「持合麻の葉」など。

《繋ぎ》
同一の紋章を二つ以上連結させる。「繋ぎ四つ目」など。

《組み》
二つ以上の紋章を互い違いに組み合わせる。「組合角」など。

《子持ち》
小さい形状を大きな形状で包み込むなど。「子持左三つ巴」など。

《入れ子》
菱紋や枡紋の内側に同じ幅の紋を入れる。「入れ子菱」など。

以上の方法を用いて、組み合わせる例も多い。もちろん、異なる紋章を組み合せる方法（合成）もある。

「上がり藤に鎌」などのように、別の紋章を用いて包んだり、内に入れたりするほか、「三つ盛片喰に二つ引」などのように、上下や左右に別の紋章を配置する。

比翼紋は、結婚した両家の紋を重ねたり、並べたりして組み合わせるもの。片側を日向、片側を陰で表わす陰陽重ねは、「陰陽桔梗」など（比翼

三つ追い柏

組合角

持合麻の葉

子持左三つ巴

繋ぎ四つ目

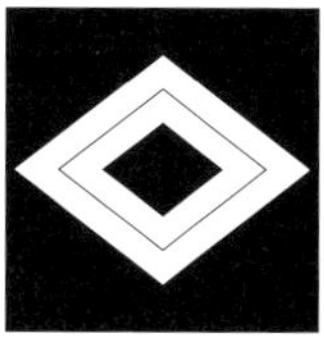
入れ子菱

桔梗）。

組み合わせとは逆に、「割」と呼ばれる、紋章を分割したりする例もある。「二つ割瓜」「三つ割瓜」「割梅鉢」「丸に割亀甲花角」など。

他に、紋章の一部を省略する例もある。「大割蔦」「大割牡丹」など。

上がり藤に鎌

二つ割瓜

丸に割亀甲花角

三つ盛片喰に二つ引

三つ割瓜

大割蔦

陰陽桔梗（比翼桔梗）

割梅鉢

大割牡丹

凡例

①本書に掲載した紋は、『平安紋鑑』をはじめとする近代の紋帖はもちろん、江戸期や明治期の紋帖を中心に選定したが、紋帖に載らないものも多く含む。

②紋の選定にあたり、『見聞諸家紋』『当流紋帳図式綱目』『正臺ノ紋帳』『早引紋帳大全』『紋帖早見大成』『新選紋所帳』『御紋帖』『無双広益紋帖』『廣益紋帖大全』『新紋帳』『紋鑑』『紋之志をり』『新紋集』『図解いろは紋帖大成』『女中達紋盡』『紋之泉』『紋尽くし』『江戸紋章集』『紋典』『図解いろは紋帖大成』『標準紋帖』『平安紋鑑』『いろは引標準紋帖』『標準紋章集成』『平安紋鑑改訂版』『日本舞踊家紋』の紋帖を参考にした。

③掲載順は、「モチーフによる分類」（13頁）にそったうえで、五十音順とした。

④紋は、染め抜き紋用の紋帖をベースとし、黒地に描いたものにしている。大きさは、一部を除いて直径22㎜に統一した。

⑤紋の形は、主に『平安紋鑑』を参考にした。また、有限会社マツイシステムの家紋データも使用している。

⑥紋の名称は、『平安紋鑑』を基本にしながら、筆者の解釈により、統一に努めた。

⑦なお、筆者が創作したものは一切掲載していない。

第1章　自然紋

天紋・地紋とも呼ばれ、日、月、星、雲、霞、雪、山、水、波などを象った紋章である。

主な自然紋と特徴

自然紋の中で最も多いのが、桓武平氏良文流千葉氏の代表紋である**月・月星紋**（27頁）だろう。月の形は主に二つある。一つは「三日月形」、もう一つは「円形」だが、後者は月だけではなく、その他の星を意味することがある。

ちなみに、紋帖では「星紋」となっている。たとえば、「九曜」は、土、水、木、火、金、月、日の七曜に、日蝕を起こすと信じられている計都《ケトゥ》と羅睺《ラーフ》を合わせたものだ。

月星紋の使用家として有名なのが渡辺氏である。そのため「三つ星に一文字」は、通称「渡辺星」と呼ばれる。三つ星は「品」の字を表わすが、オリオン座の中央に並ぶ三つの星（オリオンベルト）を意味するともいわれる。また、一文字には戦勝を願う意味が込められている。別名「将軍星」と呼ばれることからも、尚武的な意義によって用いられたと考えられる。

一方でこんな見方もある。一文字が「船」、つまり渡辺姓の祖である渡辺綱であり、三つ星が「三人」、つまり坂田金時・碓井貞光・卜部季武であるという、源頼光の四天王を表しているものだ。

日月紋《じつげつ》（34頁）という日（太陽）と月を象った紋章がある。神道において、日は天照大御神《アマテラスオオミカミ》、月は月読命《ツクヨミノミコト》を表わしている。これは、**菊紋**（66頁）以前の天皇家の紋章である。天皇家が使用したのは後鳥羽天皇から後醍醐天皇の間（1185年～1339年）といわれる。中国皇帝、琉球皇帝を描いた絵画にも日月が見られることから、本来は天帝を表わすものだと思われる。

日紋（34頁）は非常に少なく、大半は**日足紋**（30頁）である。日足紋は太陽と放射線状の日光を象った紋章で、太陽神・日輪崇拝から用いたというのが通説だ。しかし、龍造寺氏を祖先と考える佐藤氏が使用した「源氏車」の車輪の軸とスポークを抜き出し、文様化したものと見る説もある。

単に円を描いた日紋は、日の丸である。「日の丸」は、戦国時代の武田信玄や上杉謙信などが旗印に掲げたが、家紋にするまでには至らなかった。

雲文様は飛鳥時代に中国から渡来し、仏教画でよく見られる。瑞祥の意味があるからか、**雲紋**（26頁）は寺院で用いられることが多い。京都の東寺が「八雲」を使用しているのは有名である。

雲紋と同じく文様が転化したものに**霞紋**（25頁）がある。「月に霞」「月に雲」は、手前が月、奥が霞や雲になっている。現実にはあり得ない構図だが、いともあっさりと描くところに、日本人の感性の豊かさが垣間見られる。

稲妻紋（24頁）も中国文様として有名。皆さんも一度はこの連続文様を目にしたことがあるだろう。

浪紋（29頁）のうち、斉藤道三が用いて有名なのは「二頭浪」である。右に三つ、左に二つある飛沫は、「世の中には割り切れるものと割り切れないものがある」ということを表わしているらしい。

山紋（31頁）は主に富士山を描いたものだが、中でも多いのが**山形紋**である。昔の農家は「荷印」に山形紋を用いることが多かった。その理由は「山を越える」という意味があったと思われる。また、他の紋と組み合わされ、商家の屋号に用いられることもあった。特に食品を扱う業者で見られた。当然、家紋として用いられることも少なくなかった。

山路紋（32頁）は、おそらく**引両紋**（253頁）から転化したものと考えられる。

雪紋（33頁）は主に外枠として用いられ、その多くは「雪輪」である。単独で使用する諸氏は極めて少ない。

水紋（34頁）も通常は他の紋と組み合わせて用いる。たとえば、**菊水紋・杜若《かきつばた》紋・沢瀉《おもがた》紋**（70頁・55頁・53頁）などがある。

稲妻《いなづま》

「稲は雷によって孕む」ということから稲妻と呼ばれるようになった。稲妻の光る様子を幾何学的に文様化したもので、飛鳥・奈良時代に伝来。

主な使用家

山科家
伊東氏
内田氏
御手洗氏

稲妻菱

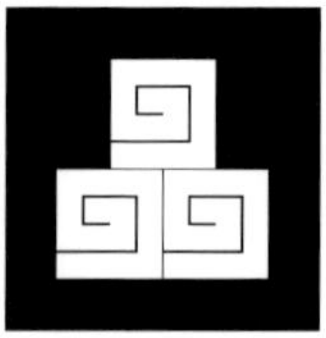
三つ盛稲妻

隅立て紗綾形稲妻

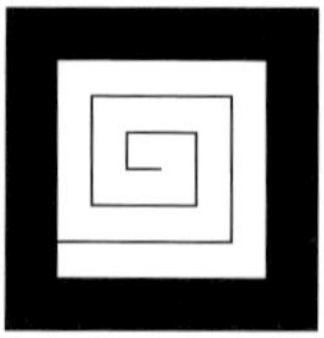
平稲妻

石持地抜稲妻菱

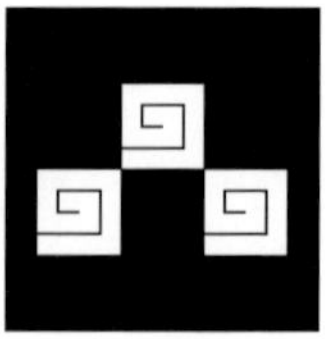
三つ石稲妻

稲妻崩し

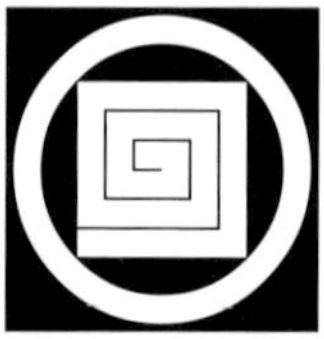
丸に平稲妻

反り稲妻菱

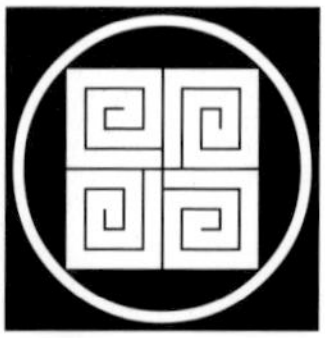
細輪に四つ稲妻

隅立て重ね稲妻

隅立て稲妻

変わり重ね稲妻菱

隅立て結び稲妻

隅合わせ三つ稲妻

丸に隅立て稲妻

三階稲妻菱

隅立て市松稲妻

三つ稲妻

隅立て絡み稲妻

三つ盛稲妻菱

五つ稲妻

稲妻三つ巴

釘抜形稲妻

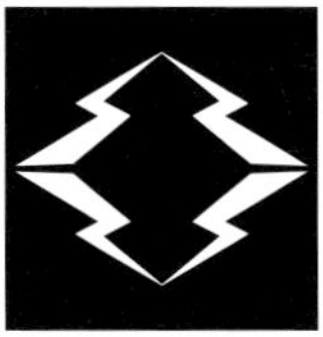

稲妻松皮

変わり稲妻菱

三つ寄せ稲妻菱

地紙形稲妻

鱗形稲妻

四つ稲妻菱

五角稲妻

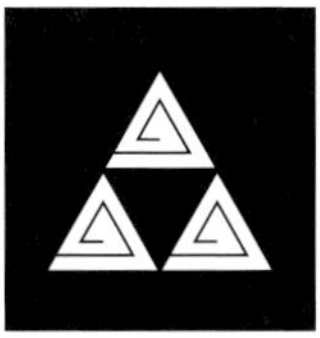

三つ鱗形稲妻

四つ寄せ稲妻菱

六角稲妻

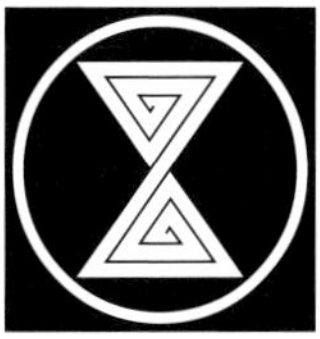

細輪に立鼓稲妻

稲光付四つ稲妻菱

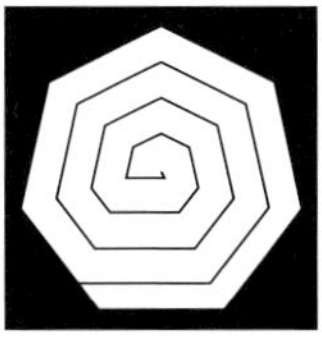

七角稲妻

変わり二つ稲妻

糸輪に五つ稲妻菱

伊藤家稲妻

稲妻鶴

麻形稲妻

霞

かすみ

霧やもやなどで遠くの景色がぼやけている様を文様化したもの。実際の自然現象ではない。大和絵の場面切替えや遠近の表現で用いられる。

主な使用家

辺見氏
武田氏
逸見氏
粟屋氏

霞

石持地抜霞

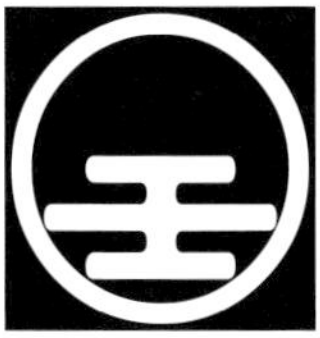

中輪に総覗き霞

月に霞

春霞

丸に三つ霞

雲

くも

古代中国では雲に神仙が住むと考え、動きや色形で吉凶を占い、雲が降らす雨に五穀豊穣を願った。飛鳥時代に渡来し、仏教画などで見られる。

主な使用家

曽我氏
佐脇氏
斉藤氏
望月氏

雲に細輪に一文字

雲木瓜

三つ雲

雲

変わり浮線雲に三つ星

雲に御幣

五つ雲

丸に雲

東寺雲（八雲）

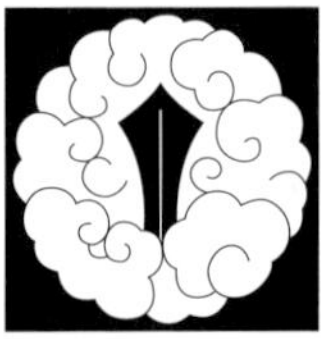
雲に剣

八重雲

丸に雲

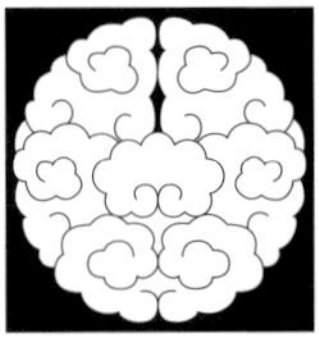
興正寺雲

雲丸に地抜月

端雲

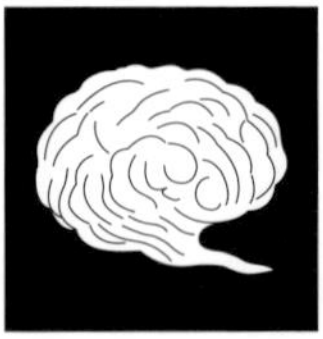
降り雲

埼玉氷川神社

総陰月北斗星

雲菱

二つ雲巴

京都東寺教王護国寺

山形に瑞雲

陰雲菱

三つ雲巴

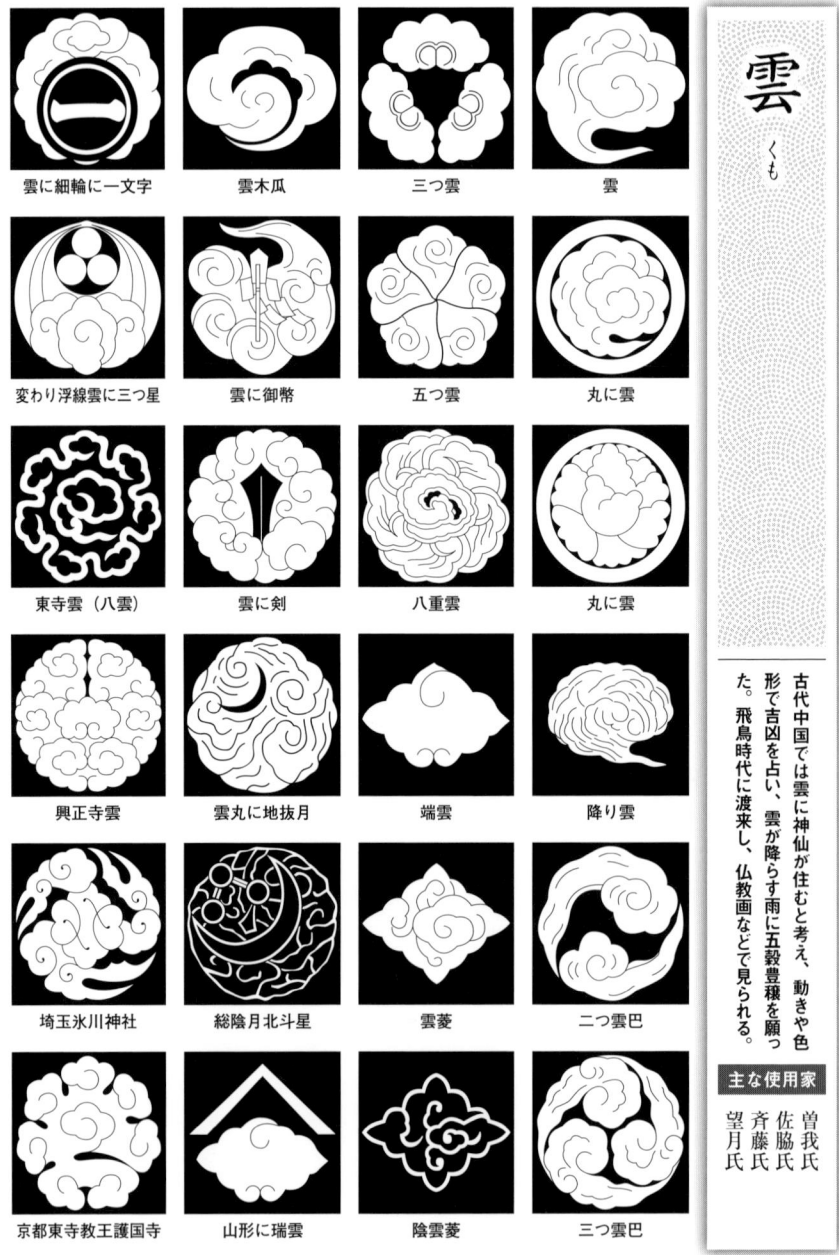

月《つき》・月星《つきぼし》

主に、月紋は月の満ち欠け、月星紋は月と星、星のみを象り、宿曜道や陰陽道、北辰妙見信仰に基づく。ともに尚美的、信仰的な意義で用いられる。

主な使用家

岩城氏
黒田氏
千葉氏
渡辺氏

丸に三つ星

黒田家月に水

月に星

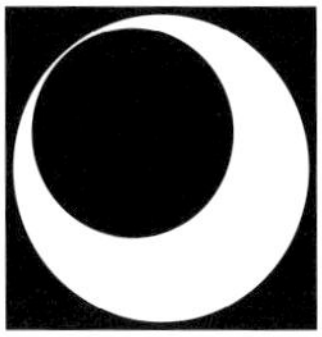
繋ぎ月

中陰三つ星

黒田家枡形に月

右向き陰日向月に星

半月

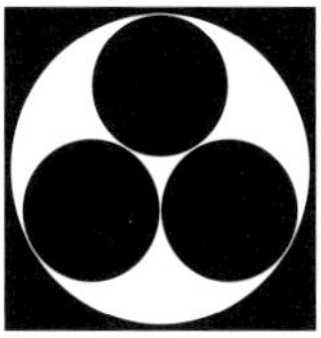
石持地抜三つ星

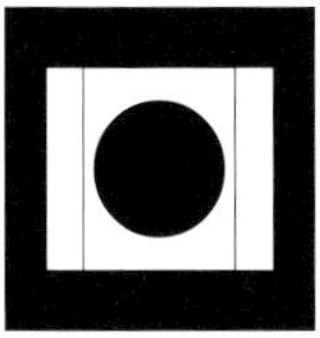
岩城家連子に月

月に三星

月

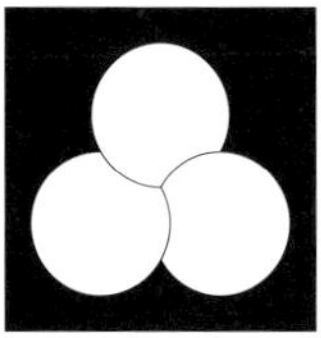
重ね三つ星

大関家朧月

月に北斗星

陰月

雪輪に三つ星

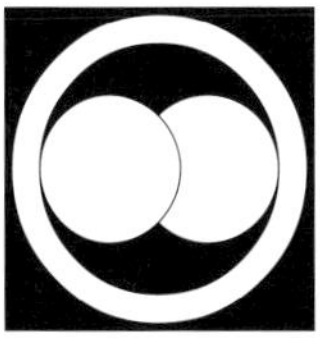
丸に重ね星

三つ寄せ月星

月に雲

剣三つ星

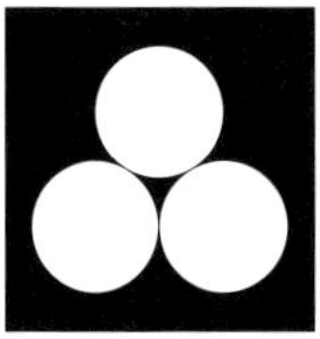
三つ星

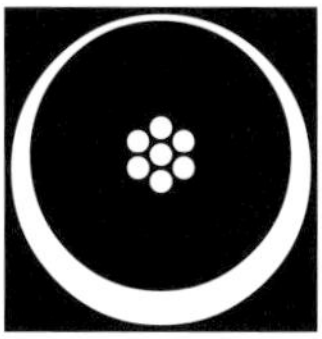
月輪に豆七曜

真向き月に星

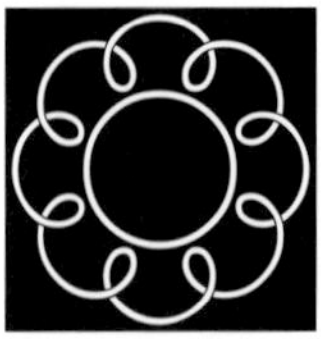
結び九曜

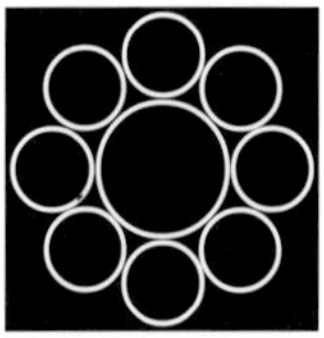
陰九曜

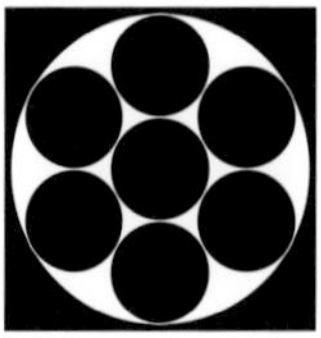
石持地抜七曜

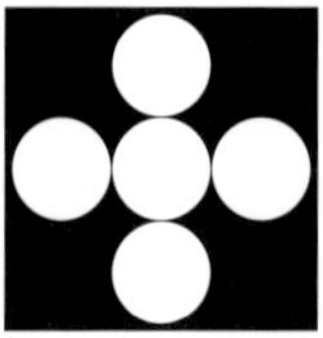
五つ星

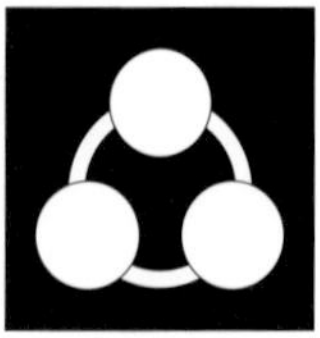
繋ぎ三つ星

菊輪離れ九曜

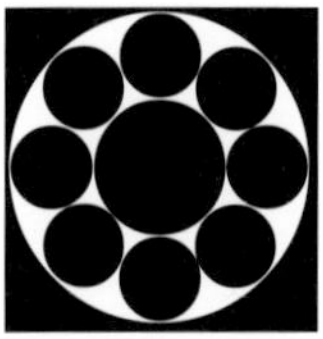
石持地抜九曜

割七曜

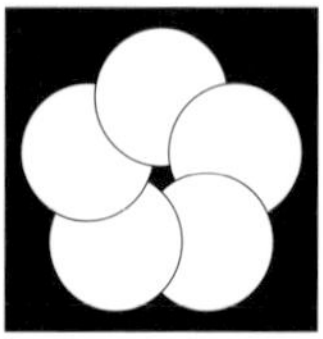
重ね五つ星

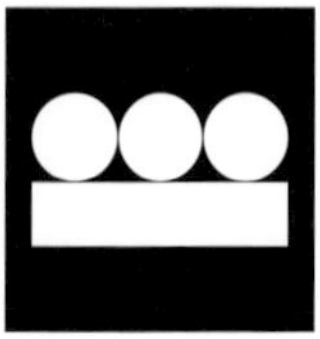
横並び三つ星に角一文字

九曜車

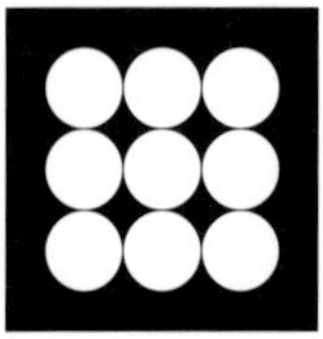
角九曜

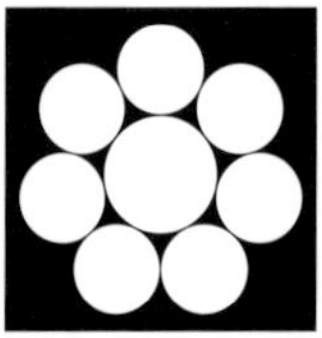
八曜

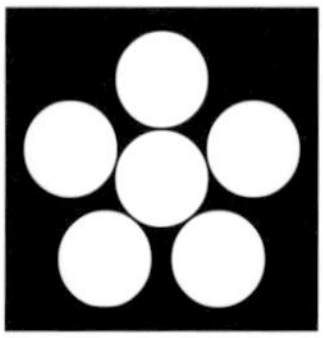
六曜

三つ割剣三つ星

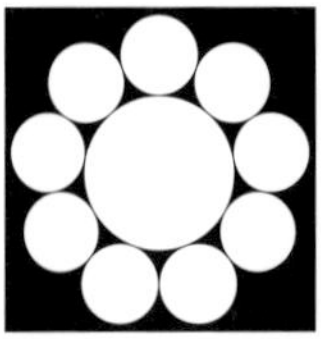
十曜

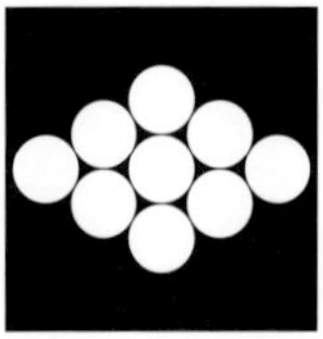
九曜菱

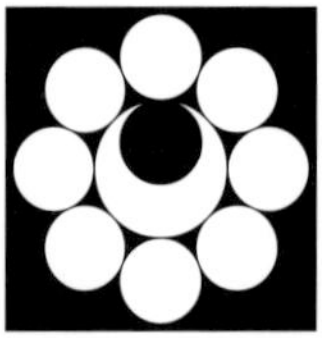
八曜に月

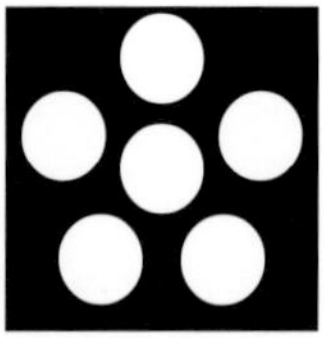
離れ六曜

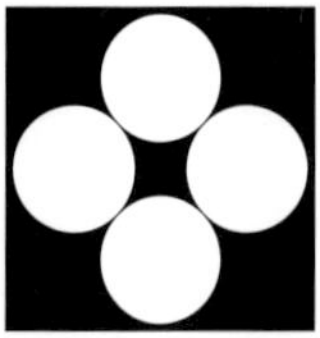
四つ星

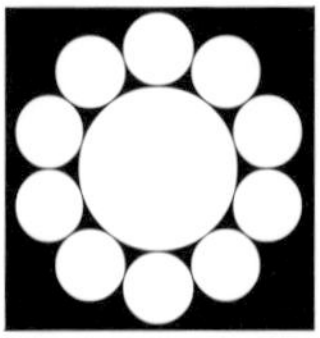
十一曜

割九曜

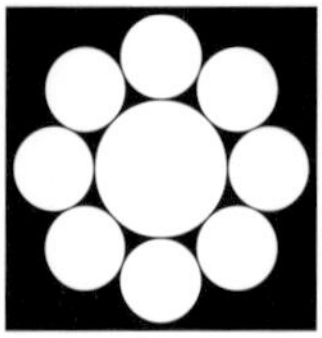
九曜

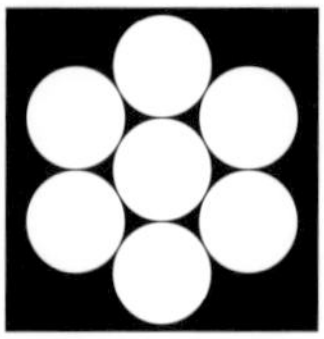
七曜

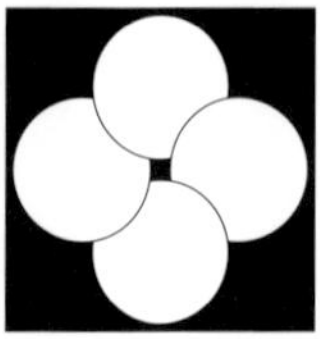
重ね四つ星

土星

抜け九曜

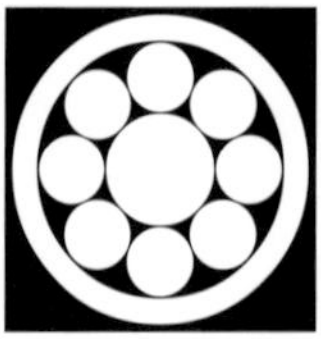
丸に九曜

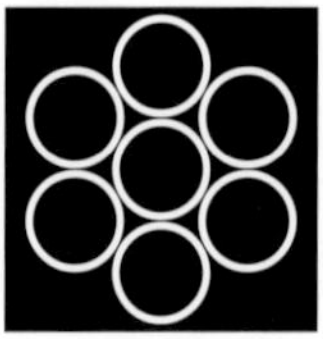
陰七曜

剣四つ星

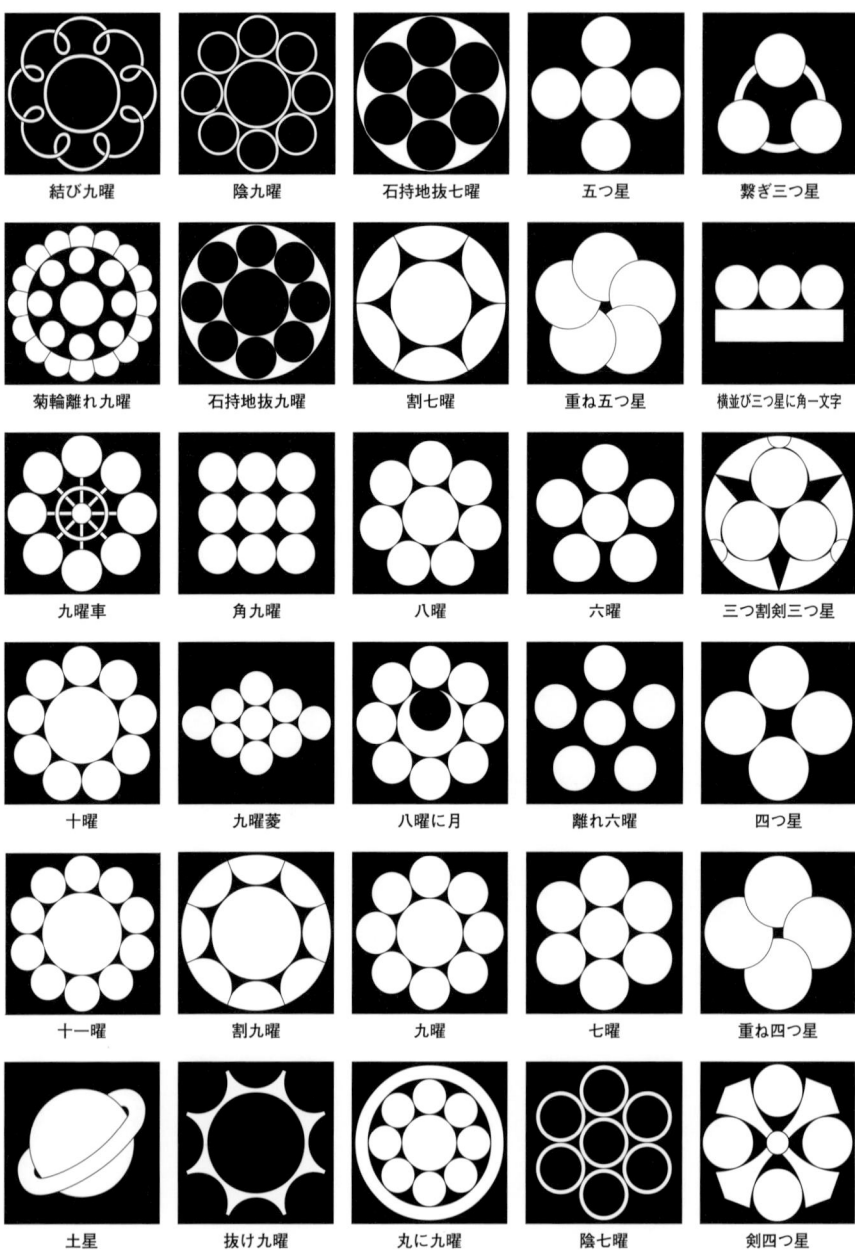

渦巻浪

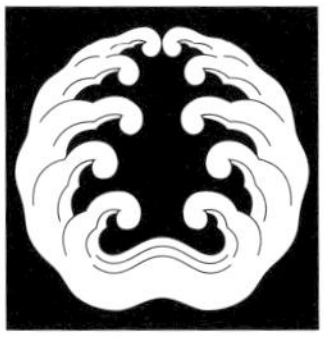
対い浪

対い渦巻浪

七つ対い浪

左浪の丸

変わり対い浪

右浪の丸

変わり対い浪

中輪に浪の丸

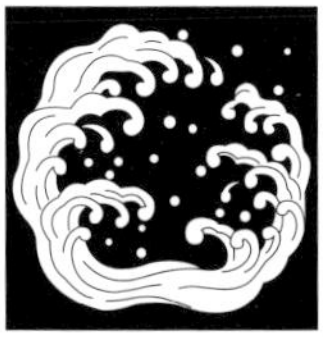
変わり対い浪

三つ浪丸

立ち浪

浪《なみ》

斉藤道三が用いたことで有名な浪紋。荒波は海神の怒りといわれ、男性的な躍動美を表わす。激しい飛沫を上げる様を描く意匠が多い。

主な使用家

前野氏
川井氏
小栗氏
大木氏

松浦家星

銀星

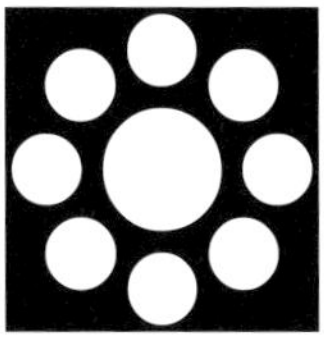
細川家九曜（離れ九曜）

二文字に三つ星

毛利家三つ星

三つ星に一つ引

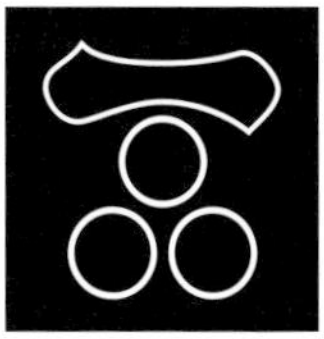
陰毛利家三つ星

渡辺家星

府中三つ星

丸に渡辺家星

徳山三つ星

陰渡辺家星

六つ日足

八つ日足

変わり十二日足

変わり十六日足

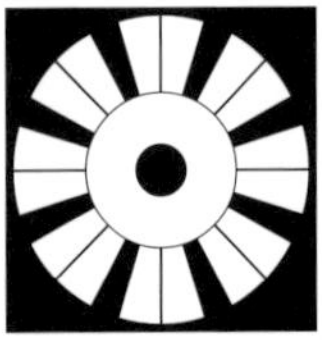
変わり十六日足に蛇の目

十二日足

日足《ひあし》

世界各地で見られる太陽信仰により日足紋は発生したとされるが、源氏車紋（177頁）から転化したという説が濃厚である。

主な使用家

龍造寺氏
鍋島氏
大村氏
木下氏

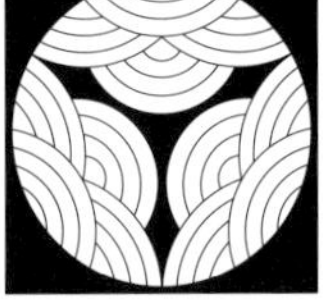
三つ割青海浪

対い浪に鼓

浪巴

月に青海浪

浪に日足にかもめ

一つ浪巴

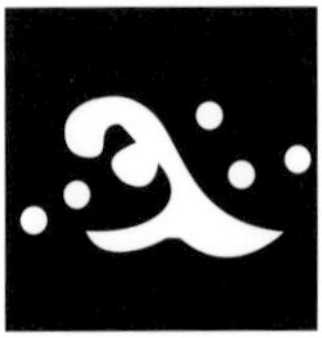
二頭浪

対い浪に千鳥

三つ浪巴

松田家浪

対い浪に帆

三つ追い浪丸

竹生島浪

陰青海浪

八島浪

京都泉涌寺

石持地抜青海浪

浪の丸に水車

山《やま》・山形《やまがた》 山路《やまみち》（さんじ）

古くから人は山の雄大さや神秘性に魅せられた。写実的に描いた「山」、単純化して文様とした「山形」、山道を紋章化した「山路」がある。

主な使用家

青木氏
吉田氏
山角氏
林田氏

変わり富士山

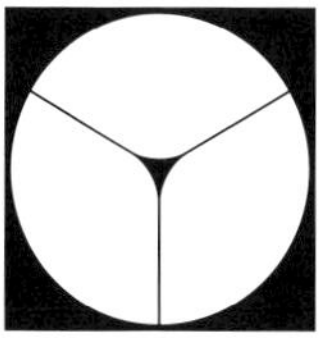
三つ山

青木家富士の山

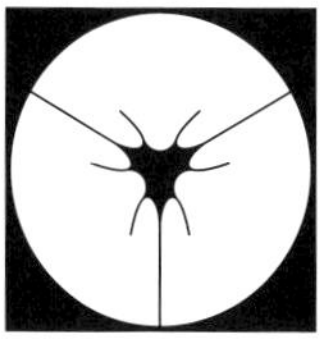
三つ富士山

山形

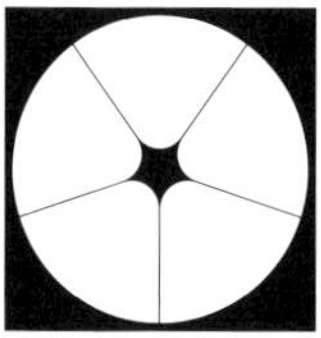
五つ山

違い山形

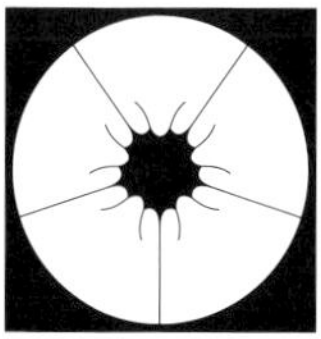
五つ富士山

雪輪に違い山形

丸に遠山

入り山形

三つ遠山

細輪に尖り日足に水

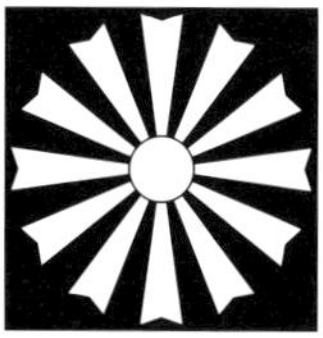
旭光日足

日足

旭光

尖り十六日足

海軍日足

大村家日足

浪に旭光

木下家日足

日足に流水

神理教日足

組合角に八つ日足

山形に一つ輪

組合変わり山形

四つ組合わせ山形

丸に違い山形に二つ引

組山形菱

三つ山形

隅立て十二山形

六角山形

三つ盛山形

上下組合山形

三つ筋山道

花山形

四つ山形菱

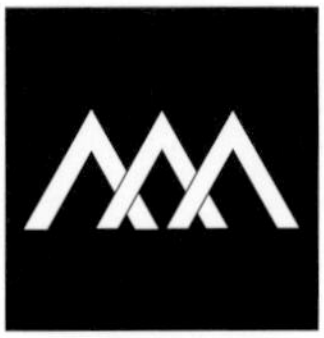
三つ組違い山形

横違い山形

丸に三つ山道

違い花山形

五角山形

変わり三つ組山形

差し金山形

丸に二本山道

対い花山形

雪輪に五つ入り山形

頭合わせ三つ山形

差し金山形に一つ引

細輪に山道

花山形桐

山形桜

三つ組合わせ山形

陰山形に二木

雪《ゆき》

主に他の紋の外枠として使用され、単独紋としては稀少。紋帖に載る多くは雪の結晶86種を図示した『雪華図説』が元である。

主な使用家

長井氏
佐藤氏

雪輪に三つ扇

雪輪

春風雪

雪

雪輪に十二日足

違い雪輪

石持地抜春風雪

山吹雪

雪輪に隅立て四つ目

三つ組合雪輪

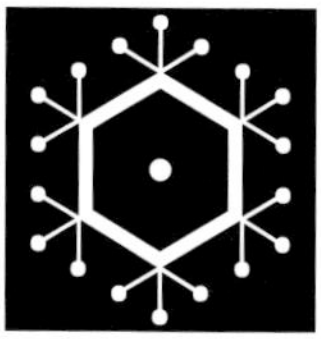
氷柱雪

山雪

雪輪に夕顔と井桁

雪輪菱

雪花

初雪

四季

雪輪に花菱

山谷雪

曇り雪

雪月梅花

雪輪に木瓜

厳敷雪

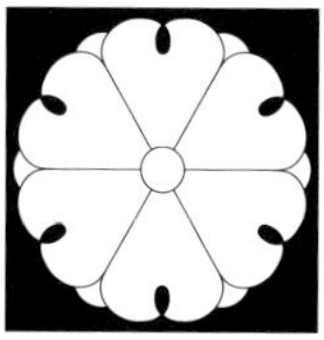
風吹雪

その他

かつて日月紋は天皇家の紋としても使われた。
水（水流）紋は単独で用いられることが少ない。
日紋は月紋（27頁）と混同されやすい。

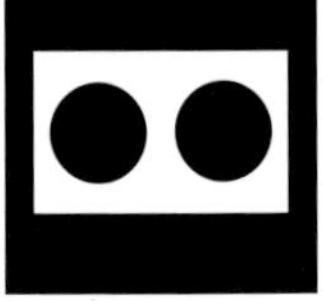
日月

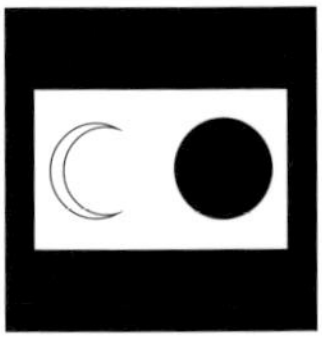
日月

丸に水

丸に立て水

丸に角に水

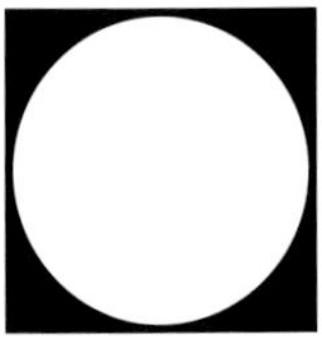
日の丸

第2章 植物紋

花・草木を象った紋章である。
最も多くの諸氏が使用している。
種類は器材紋に次いで多い。

主な植物紋と特徴

植物紋の多くは、生命力の強い「雑草」である。「人間五十年」といわれたように、かつて人間の寿命は決して長いものではなかった。昔の人は、子孫繁栄の願いを家紋に込めたのだろう。

片喰紋《かたばみ》（60頁）はその代表格といえる。実際に使用する家も最多である。片喰は噛むと酸味があり、「酢漿草」とも書く。また、御鏡の表面を磨くのに用いたため、「鏡草」と呼ばれることもあった。

片喰紋に次いで多いのが**柏紋**（58頁）。柏紋は諏訪明神の神紋として有名な**梶紋**（56頁）と同様、その葉が食器として用いられ、後に供物の器になったことから、神職に関わる諸氏に見られる。

ちなみに、梶紋の図案は楮《こうぞ》が元になっているが、同様の形状のために区別されなくなった。

「つたう」を語源とする**蔦紋**（94頁）も、子孫繁栄を願って用いられてきた。これを女紋に使う例も多い。

鉄仙紋（97頁）も同様の理由である。鉄仙紋に多い車状のものは、実を描いていると思われる。実は熟すと細かな毛が出て、うっすらと綿をまとったようにも見えるので、これを図案化したのだろう。

他に蔓が印象的な**瓜紋**《うり》（51頁）は、紋帖では「瓜《か》紋」に分類されることが多い。余談だが、『見聞諸家紋』に載る新見氏の瓜紋は「阿古陀瓜《アコダウリ》紋」である。

瓢紋《ひさご》（51頁）の「瓢」はいわゆる瓢箪のことで、古くから神霊が宿るとされ、縁起物とされた。夕顔も瓢箪に似た果実がなる。そのため、**夕顔紋**（43頁）と瓢紋は混同されることもある。

朝顔が家紋に用いられるのは葉だけ。現在確認されている**朝顔紋**（43頁）は、すべて江戸中期以降に創作されたものだ。

最も高貴な家紋は、天皇家の紋として名高い**菊紋**（60頁）だろう。徳川時代に菊花紋章の権威が落ちるが、明治維新後、再びその権威を取り戻し、1871（明治4）年に皇族以外の使用が禁じられた。いまは使用制限がないが、商標登録などは法的に禁じられている。

桐紋（70頁）は天皇が賜与する紋である。日本の国章に「五七桐」が用いられているように、代表的家紋といっていい。これは水無瀬家、七条家などの公家も用いる。

「この紋所が目に入らぬか」でおなじみの**葵紋**（40頁）も高貴な家紋といえる。葵は「フタバアオイ」（別名・加茂葵）である。その由来は、京都の賀茂神社の神紋として神事に用いられたところからきている。徳川氏の独占紋の「徳川葵」が有名。これは軸三か所が三つ巴のように回転しているため、「葵巴」ともいう。

享保8（1732）年2月28日に、徳川家より葵紋禁止の法令が発された記録が残っている。この禁止令から**河骨紋**《こうほね》（76頁）が生まれたようだ。会津藩の葵紋を河骨紋というが、使用状況から見て「葵紋」であることは間違いない。

九条家、二条家、一条家、醍醐家、正親町家、裏辻家、富小路家など、**藤紋**（106頁）は多くの公家が用いている。これは藤原氏の代表紋とされ、室町時代末期に武家に流行したと考えられている。江戸の頃には170家が使用した。

牡丹紋（110頁）も、近衛家、鷹司家、高倉家など、多くの公家が用いている。寺紋にも多い。牡丹に獅子（伝説上の動物）を添えたものが**獅子に牡丹紋**（112頁）である。

植物紋の中で**竹笹紋**（本書では**笹竹紋**・80頁）は最も種類が多く、雀や笠などとの組合せがよく見られる。竹は、門松や松竹梅など、縁起の良いものとされる。

植物紋は、菊紋や藤紋などのように、花をモチーフとしたものも多い。**梅紋**・**桜紋**・**水仙紋**・**蘭紋**（48頁・78頁・85頁・120頁）など、その種類は豊富だ。中でもデザインが美しいといわれるのが**桔梗紋**（63頁）である。

蓮紋（104頁）は、墓石の台座（蓮華座）に文様が刻まれることもあり、家紋と混同されやすい。

源氏の紋といわれる**竜胆紋**《りんどう》（121頁）は「笹竜胆」とも呼ばれ、葉が竹笹紋と似るため、混同されることがある。

沢瀉紋（53頁）など、葉を象っている植物紋は風変わりな形状をしていることが多い。これは、毛利元就が沢瀉に〝勝ち虫〟の蜻蛉《とんぼ》が止まったのを見た後に戦勝したことから家紋にしたといわれる。ちなみに豊臣秀吉は、天皇より桐紋を下賜される以前はこの沢瀉紋を用いていた。

銀杏紋（45頁）の銀杏は、その葉が鴨の足に似るために「鴨脚樹」とも書く。

四条家をはじめとする公家に用いられる**田字草（花勝見）紋**（98頁）は、片喰紋に似ることから、「四つ片喰」（61頁）と混合されることが多い。

楓紋（118頁）は、分類上ではモミジとカエデは区別されない。一般的にモミジといえば紅葉を指すが、紅葉の代表として「楓」がモミジと表現される（本書では紋帖での読みを尊重してモミジとした）。

柊紋（105頁）は紋の形状も刺々しい。

木を象った植物紋の中で多いのは**松紋**（113頁）である。木は神木として神聖化されることが多い。その代表的なものが**杉紋**（86頁）だろう。**梛**《なぎ》**紋**（99頁）の梛は、熊野神社では神木とされた。

七草のすべてが家紋となっているわけではないが、植物紋には七草に数えられるものが少なくない。主に七草の縁起をもとに家紋に用いたようだ。春の七草では、**芹紋・薺**《なずな》**紋・蕪**《かぶ》（菘《すずな》）**紋・大根**（蘿蔔《すずしろ》）**紋**（124頁・100頁・124頁・88頁）など、秋の七草では、**芒**《すすき》（尾花）**紋・桔梗紋・撫子紋・葛紋・萩紋**（87頁・63頁・101頁・75頁・103頁）などがある。

日本人にとって欠かせない主食の米が実る**稲紋**（47頁）や**粟紋**（44頁）は、生命の源として大切にされてきた。**車前草**《おおばこ》**紋**（52頁）は、食用というより生薬として古くから用いられた。

京都御所の紫宸殿に「右近の橘、左近の桜」として橘が植えられ、これを寵愛した元明天皇が葛城王に橘姓を下賜し、橘氏が誕生した後に生まれたのが**橘紋**（89頁）である。**茶の実紋**（91頁）は、この橘紋が転化したものといわれる。

丁子《ちょうじ》**紋**（92頁）は大根紋と勘違いされることがある。

梨紋（99頁）は、唐梨（柰）や花梨《かりん》であるともいわれる。しかし、梨の切り口と葉が、それぞれ朴《ほお》の木《き》の花と葉に似ているとする見方もある（高澤等氏の考察）。朴の木は、梶や柏などと同様に葉を食器として神前に供えたことからも、家紋に用いられるにふさわしいとしている。**唐花紋**（239頁）のように創作された可能性も否定はできない。現在でもいまだに解明されていない文様の一つだ。

麻紋（42頁）は元となった連続文様が麻に似ていることからこの名が付いた。しかし、元の文様が何を示すものかは不明だ。

柳生氏の独占紋である**地楡**《われもこう》**（吾亦紅）紋**（125頁）は、「われもこうありたい」から名付けられたといわれる。吾亦紅の根が地楡《ちゆ》という生薬となり、紋名ではこれを当てている。しかし、家紋の形状が吾亦紅であるとは言いがたく、いまだに謎の多い紋である。紋帖では「柳生笹」の名称で載る。

最後に、使用家の少ない植物紋（独占紋）を挙げておこう。たとえば、**葉菊草紋**（丸に葉菊草・124頁）は藤原氏頼通流青山氏の独占紋、**綿の実紋**（125頁）は「綿の実がはじけるさま」をデザインした中岡慎太郎の独占紋である。

葵《あおい》

京都加茂神社の神事に用いられ、その後、神職や氏子が信仰的な目的で家紋とした。松平氏の流れを汲む徳川氏が有名。

主な使用家

鴨氏
本多氏
松平氏
徳川氏

細輪に片手蔓裏葵

丸に三つ葵

花立ち葵

二葉葵

蔓一つ葵

総陰丸に三つ葵

立ち葵菱

花付二葉葵

細蔓一つ葵

中陰丸に三つ葵

三つ割立ち葵

左離れ立ち葵

割葵

剣三つ葵

尻合わせ三つ葵

右離れ立ち葵

入れ違い割葵

蔓三つ葵

陰尻合わせ三つ葵

丸に左離れ立ち葵

花付割葵

変わり三つ蔓葵

中陰尻合わせ三つ葵

丸に右離れ立ち葵

変わり剣二つ葵

浮線葵

六つ葵車

五つ葵

三つ割葵

蔓葵片喰

変わり浮線葵

葵の丸

五つ裏葵

蔓付三つ割葵

中陰五つ捻じ葵

葵桐

変わり葵の丸

剣五つ葵

花付三つ割葵

徳川家葵巴

向こう花葵

変わり二つ蔓葵の丸

花付五つ葵

四つ割葵

徳川家葵

丸に変わり向こう花葵

蔓三つ葵の丸

五つ葵に檜扇

割蔓葵菱

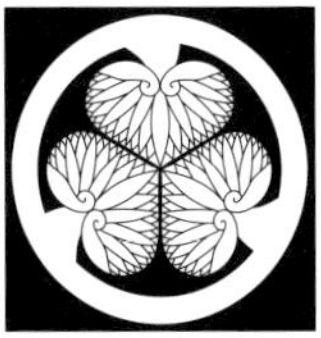
水戸家三つ葵

水に立ち葵

三つ花葵の丸

三つ割五つ葵

花付四つ葵菱

新庄家六つ葵

本多家捻じ葵

尾州三つ葵

京都加茂別雷神社

水戸家六つ葵

会津三つ葵

京都加茂御祖神社

播州家六つ葵

守山三つ葵

近江日吉神社

紀州家六つ葵

西条家三つ葵

京都松尾神社

津軽家六つ葵

本多家立ち葵

栃木東照宮

足羽家六つ葵

本多家束ね葵

麻

あさ

麻紋は連続文様の一部を抜粋したもの。歌舞伎役者・岩井半四郎の影響で広まった。姓に麻が含まれる家に多い。

主な使用家

麻生氏
麻野氏
麻田氏

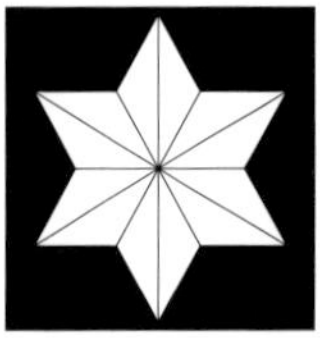
麻の葉

丸に麻の葉

陰麻の葉

持合麻の葉

比翼麻の葉

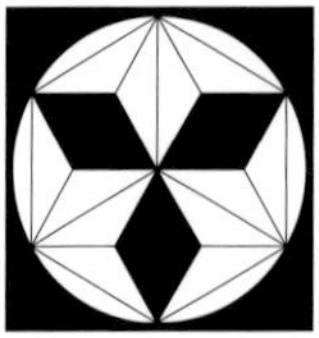
三つ割麻の葉

朝顔《あさがお》・夕顔《ゆうがお》

朝顔は江戸中期以降に図案化されたが、家紋の使用例は少ない。夕顔は『源氏物語』に登場することから源氏車紋（177頁）との組合せが目立つ。

主な使用家

神山氏
尾崎氏
新庄氏
塩谷氏

夕顔に月

朝顔の丸

中輪に一つ朝顔

抱夕顔蔓葉に源氏半車

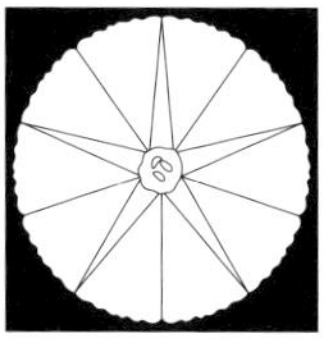
真向き朝顔

五つ朝顔

夕顔葉に源氏半車

夕顔の花

細輪に六つ朝顔

夕顔桐

月輪に陰豆夕顔

朝顔の丸

一つ葉夕顔桐

夕顔の葉丸

朝顔の丸

夕顔枝丸

丸に割夕顔の葉に月

朝顔の丸

外三つ割麻の葉

麻の葉車

麻の葉桐

麻の花

向こう麻の葉

丸に真向き麻の葉

葦《あし》

関東では「アシ」、関西では「ヨシ」と呼ばれる。アシは「悪し」に通じるため、ヨシ（良し）と言い換えた。文様としても使用される。

主な使用家

葦名氏
堀江氏
茂庭氏
嶺岸氏

違い葦の葉

変わり抱葦

丸に違い葦の葉

割抱葦

糸輪に陰違い葦の葉

葦の丸

三つ葦の葉

抱葦に対い鷺

雪輪に葦に水

新見家葦

抱葦

石川家葦

粟《あわ》

「禾」ともいわれる。かつての主食であり、生命の源として大切にされた。稲紋（47頁）と酷似するため、見分けづらい。

主な使用家

粟田氏
粟沢氏
鈴木氏
椎橋氏

抱粟

丸に抱粟

抱粟

変わり抱粟

粟技丸

粟の丸

銀杏《いちょう》

銀杏は長寿の木。孫の代にならないと実らないとされ、「公孫樹」ともいわれた。その紋は歌舞伎役者のあいだで人気がある。

主な使用家

飛鳥井家
大石氏
西群氏
水谷氏

二つ銀杏

三つ銀杏崩し

三つ軸違い銀杏

中輪に立ち銀杏

頭合わせ三つ銀杏

三つ割銀杏

糸輪に三つ蔓銀杏

三つ銀杏

六角三つ銀杏

三つ割重ね銀杏

丸に剣三つ銀杏

丸に三つ銀杏

子持三つ銀杏

四つ割銀杏

三つ寄せ銀杏

陰三つ銀杏

四つ銀杏

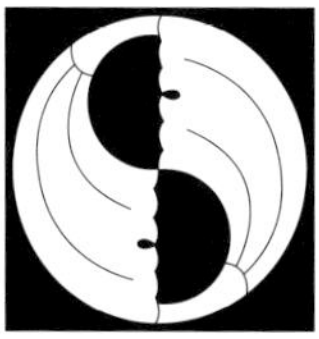
入れ違い割銀杏

三つ組銀杏

中陰三つ銀杏

五つ銀杏

抱銀杏

中陰三つ組銀杏

石持地抜三つ銀杏

浮線銀杏

変わり三つ銀杏

二つ違い銀杏

上下対い銀杏菱

五つ軸違い銀杏

三つ銀杏に片喰

銀杏鶴

輪違い銀杏

二つ銀杏菱

立ち銀杏の丸

三つ追い銀杏に片喰

丸に重ね変わり銀杏鶴

二葉枝銀杏

蔓銀杏菱

一つ銀杏丸

三つ追い銀杏に蔦

銀杏胡蝶

糸輪に陰陽二つ銀杏

割銀杏菱

一つ銀杏巴

五つ追い銀杏に花菱

揚羽銀杏蝶

銀杏枝丸

三つ違い銀杏菱

三つ銀杏巴

飛鳥井家銀杏

変わり揚羽銀杏蝶

三つ散り銀杏

菱に三つ銀杏

糸輪に豆三つ銀杏

抱稲に鎌

星付変わり抱稲

井筒に二つ穂稲の丸

左稲の丸

二つ追い稲の丸

変わり包み抱稲

糸輪に立ち稲

右稲の丸

上下入れ違い稲菱

抱稲に陰三つ星

抱稲

変わり稲の丸

稲鶴

抱稲に対い雀

丸に抱稲

変わり稲の丸

揚羽稲蝶

一本稲の丸に雀

抱稲の苗

一本稲

亀井家稲の丸

稲丸に三羽雀に二つ巴

包み違い抱稲

束ね違い稲

稲《いね》

五円硬貨にもデザインされる日本独自の文様。稲の実(米)は主食として欠かせない。姓に稲、穂、保、苅などが含まれる家に多い。

主な使用家

穂積氏
鈴木氏
亀井氏
稲生氏

梅《うめ》・梅鉢《うめばち》

梅紋は菅原道真が梅を好んだことに由来し、天満宮の紋として有名。梅鉢紋は花弁が舞楽で用いる太鼓のばちに似ている。

主な使用家

菅氏
高辻氏
相良氏
前田氏

裏梅

捻じ梅

八重向こう梅

梅の花

陰裏梅

中陰捻じ梅

陰八重向こう梅

陰梅の花

中陰裏梅

陰捻じ裏梅

中陰八重向こう梅

八重梅

臺《うてな》地抜裏梅

捻じ向こう梅

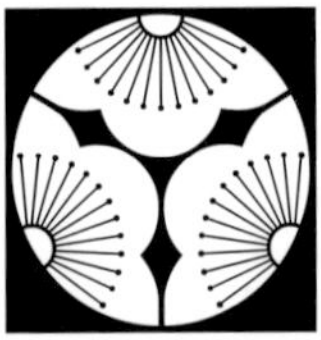
三つ割向こう梅

石持地抜八重梅

萱梅

捻じ香い梅

中陰三つ割向こう梅

三つ割梅

八重裏梅

白銀梅

八重唐梅

向こう梅

折れ枝梅

梅枝丸

箙梅

横見梅

陰八重裏梅

変わり枝梅

梅枝丸

三つ葉向こう梅

三つ横見梅

五曜梅

丸に古木梅

梅枝丸

変わり花梅

三つ寄せ横見梅

三つ盛梅の花

中輪に六つ梅

梅枝丸

香い包み枝梅

葉付三つ横見梅

三つ盛香い梅

浮線綾梅

梅枝丸

雪輪に総覗き変わり梅

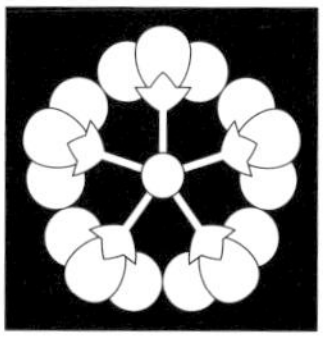
五つ横見裏梅

糸輪に豆梅の花

軒端梅

梅枝丸

蛤形梅の枝

雪持横見梅

菱に覗き梅

丸に星梅鉢

梅鉢

光琳変わり梅

中陰浮線梅

梅桐

陰星梅鉢

丸に梅鉢

利休梅

爪形梅

中陰梅桐

割梅鉢

陰梅鉢

陰利休梅

一筆梅

足無し梅鶴

中陰割梅鉢

丸に中陰梅鉢

上下対い梅菱

光琳枝梅

中陰梅鶴

三つ割梅鉢

石持地抜梅鉢

三井家香い梅

光琳梅

中陰梅胡蝶

三つ割星梅鉢

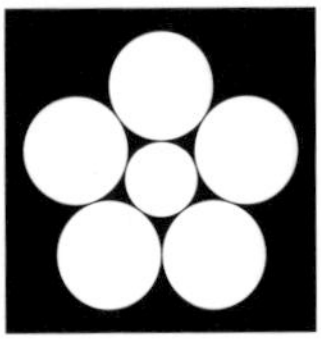
星梅鉢

棚倉家梅

陰光琳梅

中陰揚羽梅蝶

瓜《うり》・瓢《ひさご》

文様に用いられるのはマクワウリ（メロンの一種）。瓢は神霊が宿る縁起物とされた。瓢紋は豊臣秀吉が馬印に用いたことで有名。

主な使用家

瓜生氏
新見氏
木下氏
猪子氏

瓜の花

瓜

瓜の花

菱に葉付瓜

阿古陀瓜

丸に三つ蔓瓜

丸に一つ瓢

細輪に五つ瓜

一つ瓢丸

抱瓜

二つ瓢の丸

瓜の枝丸

実梅鉢

六つ梅鉢

加賀前田家梅鉢

割六つ梅鉢

大聖寺前田家梅鉢

糸輪に覗き梅鉢

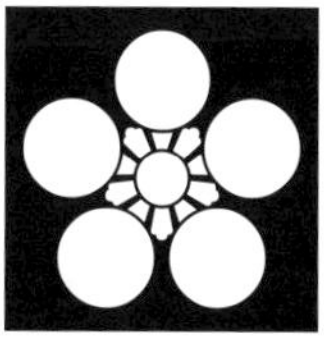
富山前田家梅鉢

花梅鉢

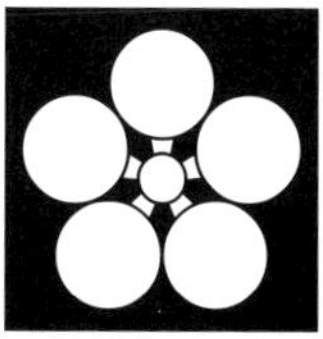
豊後梅鉢

剣梅鉢

桐良家梅鉢

光琳梅鉢

車前草《おおばこ》

車前草は古くから生薬として用いられた。牛車や馬車の往来が多い道端に多く生えることから、この名がついた。

主な使用家

田村氏
荒井氏
丹波氏
岡田氏

車前草

変わり車前草

変わり抱車前草

田村家車前草

田村家車前草

一関車前草

糸輪に蔓三つ瓢

三つ追い瓢

二つ対い瓢

四つ蔓瓢菱

四つ追い瓢菱

抱瓢

丸に瓢木瓜

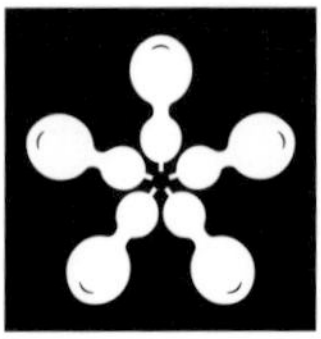
五つ瓢

割瓢

瓢桐

八つ瓢車

三つ割瓢

瓢桐

中陰五成瓢

三つ割瓢に一つ瓢

瓢枝丸

千成瓢

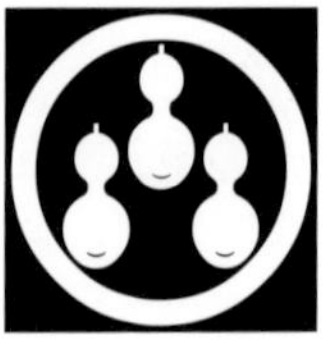
丸に三つ盛瓢

沢潟《おもだか》

鏃（やじり）に似た葉の形から「勝ち草」と呼ばれ、武将にもてはやされた。葉が人間の顔に似て高く伸びることから「面高」ともいう。

主な使用家

椎名氏
梁田氏
毛利氏
木下氏

変わり沢潟巴

割沢潟

丸に抱葉沢潟

沢潟

三つ追い重ね沢潟巴

三つ割沢潟

陰抱沢潟

丸に沢潟

違い沢潟

三つ追い沢潟

中陰抱沢潟

陰丸に沢潟

陰違い沢潟

陰三つ追い沢潟

石持地抜抱沢潟

石持地抜立ち沢潟

違い葉沢潟

変わり三つ追い沢潟

痩せ抱沢潟

抱沢潟

中陰違い葉沢潟

沢潟巴

子持抱沢潟

丸に抱沢潟

沢潟の丸

一つ沢潟菱

沢潟七宝

向こう花沢潟

変わり違い沢潟

一つ沢潟の丸

割沢潟菱

沢潟桔梗

八重向こう沢潟

一つ花沢潟

変わり沢潟の枝丸

割葉沢潟菱

変わり五つ沢潟

陰八重向こう沢潟

軸違い並び葉沢潟

沢潟飛び胡蝶

抱沢潟菱

五つ捻じ沢潟

向こう蔓沢潟

三つ盛沢潟

揚羽沢潟蝶

沢潟桐

六つ蔓沢潟

変わり向こう花沢潟

尻合わせ三つ沢潟

沢潟鶴

変わり沢潟桐

沢潟車

浮線沢潟

三つ寄せ沢潟

四つ長門家沢瀉菱

沢瀉折り鶴

毛利長門家沢瀉

沢瀉に水

中津家沢瀉

水野家沢瀉

大関家沢瀉

長門家沢瀉に水

木下家沢瀉

三つ長門家沢瀉

京都下御霊神社

四つ長門家沢瀉

杜若《かきつばた》

「いずれがアヤメかカキツバタ」という諺で有名。本来は「燕子花」が正しい。かつては藪茗荷（杜若＝とじゃく）を指したので、混合された。

主な使用家

花山院家
中山氏
壬生氏
石山氏

立ち杜若の丸

杜若の花

杜若の丸

陰杜若の花

杜若の丸

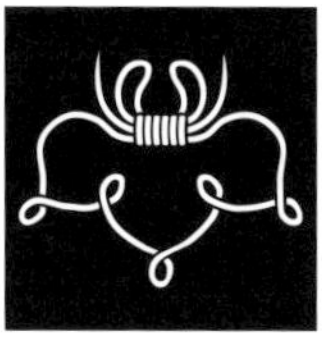
結び杜若の花

杜若の丸

二つ杜若の花

杜若の丸

尻合わせ三つ杜若の花

二つ追い杜若

頭合わせ杜若の花

梶《かじ》

葉が神前の供物の器として用いられた梶は諏訪明神の神紋として有名。図案の元は楮（こうぞ）だが、同形のために区別され、やがて姿を消した。

主な使用家

諏訪氏
金刺氏
下条氏
物部氏

梶の葉

丸に梶の葉

陰梶の葉

中陰梶の葉

石持地抜梶の葉

軸折れ梶の葉

糸菱に総覗き杜若の花

変わり杜若の花

二つ追い杜若

杜若鶴

杏葉杜若

二つ追い杜若

三つ盛杜若

立ち杜若

抱杜若

丸に真向き杜若

変わり立ち杜若

三つ追い杜若

石山家杜若

根引き立ち杜若

入れ違い杜若菱

中山家杜若

根引き杜若

外向き杜若菱

揚羽梶の葉蝶

枝梶の葉

割梶の葉菱

割梶の葉

丸に鬼梶の葉

梶の葉飛び蝶

変わり枝梶の葉

三つ立ち梶の葉

割鬼梶の葉

鬼梶の葉菱

梶の葉鶴

梶の葉枝丸

三つ梶の葉

三つ割梶の葉

抱梶の葉

乱れ梶の葉

梶の葉桐

変わり三つ梶の葉

三つ割鬼梶の葉

鬼抱梶の葉

色紙に梶の葉

梶の花

五つ梶の葉車

外割梶の葉

入れ違い梶の葉

丸に一文字に軸違い梶の葉

梶の葉団扇

杏葉梶

割違い梶の葉

三つ追い梶の葉

柏《かしわ》

古い葉が落ちず、「代が途切れない」という縁起物として扱われた。柏の葉は梶の葉と同様、古くから食器として用いられた。

主な使用家

葛西氏
千秋氏
朝日氏
長江氏

抱柏

丸に一枚柏

三つ柏

七枚立ち梶の葉に抛筆

総陰抱柏

丸に並び柏

丸に三つ柏

阿部家梶の葉

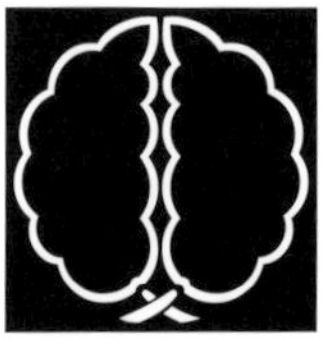
中陰抱柏

丸に違い柏

総陰三つ柏

平戸家梶

丸に抱柏

丸に折れ柏

中陰三つ柏

大村家梶

抱鬼柏

一つ蔓折れ柏

石持地抜三つ柏

諏訪家梶

抱柏菱

折れ柏菱

鬼三つ柏

信濃諏訪神社

三つ割三つ柏

丸に剣三つ柏

丸に出三つ柏

三つ追い柏

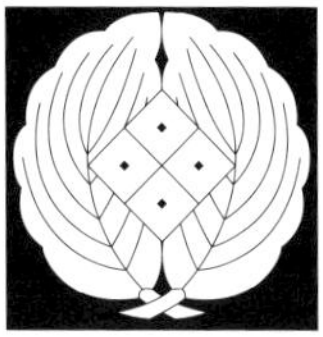
抱柏に隅立て四つ目

三つ割蔓柏

八重三つ柏

細輪に中柏

三つ追い重ね柏

細抱柏に花菱

糸輪に覗き三つ柏

四つ蔓柏

蔓柏

柏巴

三枚抱柏

菱に三つ柏

中輪に五つ柏

丸に蔓柏

変わり柏

光琳抱柏

上下対い蔓柏菱

九枚柏

片手蔓柏

浮線柏

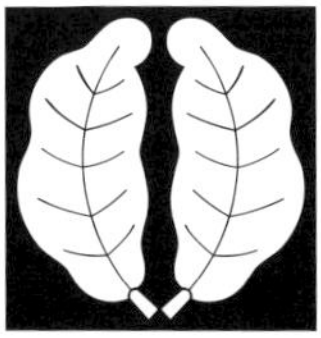
変わり光琳抱柏

横見三つ柏

陰陽三枚柏

五徳柏

有織浮線柏

有織抱柏

片喰

かたばみ

片喰の葉はハート型をしている。繁殖力が強く、縁起を担いで武家に好まれた。御鏡を磨く際に用いられたため、「鏡草」とも呼ばれる。

主な使用家

多賀氏
上泉氏
竹内氏
大舘氏

片喰

丸に片喰

総陰片喰

細中陰片喰

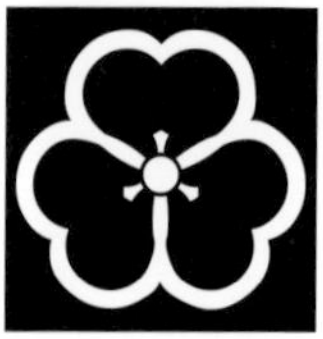
中陰片喰

太陰片喰

丸に土佐柏

折れ枝柏

三枚折れ柏

山内家土佐柏

柏枝丸

揚羽柏蝶

中川家抱柏

丸に古木柏

二葉柏飛び蝶

渡辺家柏

丸に結び柏

柏鶴

久志本家柏

実付鬼結び柏

柏桐

近江多賀神社

牧野家三つ柏

二葉蔓柏

軸違い片喰

細片喰

菱に片喰

三つ割片喰

石持地抜片喰

三つ盛片喰

変わり片喰
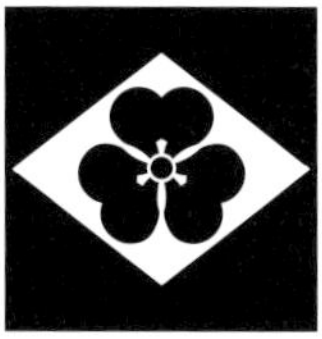
菱持地抜片喰

糸輪に三つ割追い片喰

陰輪に総陰片喰

三つ盛片喰に二つ引

盃片喰

糸菱に覗き陰片喰
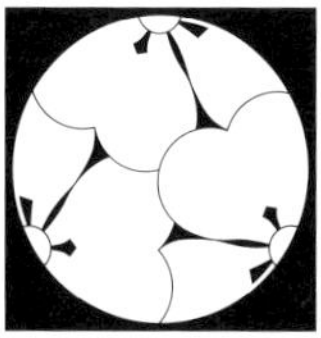
重ね三つ割片喰

陰輪に細中陰片喰

左離れ立ち片喰

折れ片喰

糸輪に豆片喰

六角三つ割片喰

捻じ片喰

片喰枝丸

扇片喰

糸輪に覗き片喰

外三つ割片喰

八重片喰

蔓付片喰

頭合わせ三つ片喰

中陰光琳片喰

割片喰菱

四つ片喰

鱗形剣片喰

中陰剣片喰

変わり実片喰

揚羽片喰蝶

変わり蔓付片喰

菱に剣片喰

石持地抜剣片喰

実片喰車

片喰飛び蝶

蔓片喰

割剣片喰菱

離れ剣片喰

実片喰菱

浮線片喰

結び片喰

陰割剣片喰菱

変わり外雪輪に剣片喰

剣片喰

片喰桐

丸に蔓結び片喰

剣一つ片喰

丸に出剣片喰

丸に剣片喰

中陰片喰桐

結び八重片喰

丸に二つ剣片喰

六角形太剣片喰

総陰剣片喰

実片喰

鐶片喰

桔梗《ききょう》

均整のとれた美しい形と鮮やかな薄紫色が親しまれた桔梗。その紋は土岐氏族の代表紋。明智光秀や坂本龍馬が用いたことでも有名。

主な使用家

脇坂氏
植村氏
太田氏
仙石氏

桔梗

丸に桔梗

陰桔梗

中陰桔梗

石持地抜桔梗

陰陽桔梗

丸に庄内家片喰

浮線剣片喰

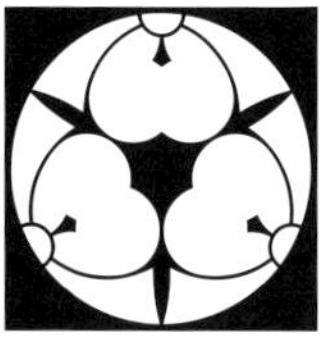
三つ割剣片喰

村山家片喰

揚羽剣片喰蝶

総陰三つ割剣片喰

変わり姫路片喰

丸に花剣蔓片喰

中陰三つ割剣片喰

姫路剣片喰

石持地抜棒剣片喰

丸に剣合わせ三つ割片喰

若狭剣片喰

熨斗剣片喰

六角形三つ割剣片喰

長宗我部家七つ片喰

蔓剣片喰

三つ盛剣片喰

三つ盛桔梗

捻じ桔梗

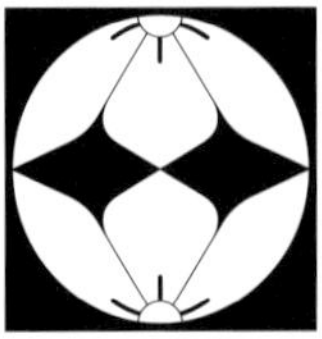
上下割桔梗

裏桔梗

八重桔梗

尻合わせ三つ桔梗

剣香い桔梗

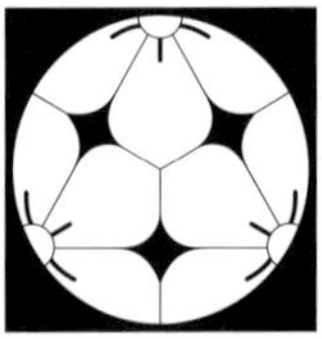
三つ割桔梗

中陰裏桔梗

丸に八重桔梗

頭合わせ三つ桔梗

糸輪に覗き桔梗

中陰三つ割桔梗

臺《うてな》地抜裏桔梗

陰八重桔梗

三つ寄せ桔梗

糸輪に豆桔梗

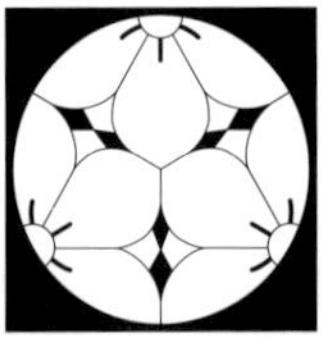
三つ割八重桔梗

八重裏桔梗

中陰八重桔梗

中陰三つ寄せ桔梗

菱に覗き桔梗

三つ割反り桔梗

中陰八重裏桔梗

陰組合わせ八重桔梗

中陰三つ組桔梗

上下対い桔梗菱

反り桔梗

釜敷桔梗

結び桔梗

桔梗胡蝶

抱桔梗

剣桔梗

変わり三つ桔梗

横見桔梗

揚羽桔梗蝶

浮線桔梗

蔓桔梗

糸輪に変わり三つ横見桔梗

陰横見桔梗

中陰裏桔梗飛び蝶

浮線花桔梗

八重花桔梗

三つ葉花桔梗

横見花桔梗

中陰桔梗鶴

葉付桔梗の丸

杏葉桔梗

竜胆桔梗車

三つ横見桔梗

丸に細桔梗

抱葉桔梗

陰杏葉桔梗

変わり六つ桔梗車

陰三つ横見桔梗

三つ持合細桔梗

蟹形桔梗

中陰杏葉桔梗

細組合角に桔梗

中陰三つ横見桔梗

菊《きく》・菊水《きくすい》

菊は天皇家の紋。日本では最も高貴な花とされる。パスポートにも描かれる。菊を浸した水（菊水）は長寿を保つという中国の故事にちなむ。

主な使用家

皇室
設楽氏
楠氏
薬師寺氏

天皇家

梨本宮家

三笠宮家

高松宮家

常陸宮家

東久邇宮家

桔梗菱

利休桔梗

桔梗桐

鉄砲桔梗

光琳桔梗

中陰桔梗桐

太田家桔梗

光琳爪形桔梗

台桔梗

山城家桔梗

盃桔梗

枝桔梗

土岐家桔梗

光琳反り桔梗

表桔梗枝丸

土岐家抱桔梗

洲浜桔梗

桔梗枝丸

饅頭菊

禿菊

裏菊

十六菊

竹田宮家

乱菊

千重菊

十六重ね菊

陰十六菊

久邇宮家

裏乱菊

千重菊

九重菊

石持地抜十六菊

賀陽宮家

細乱菊

千重枝菊

鬼菊

十二菊

閑院宮家

変わり乱菊
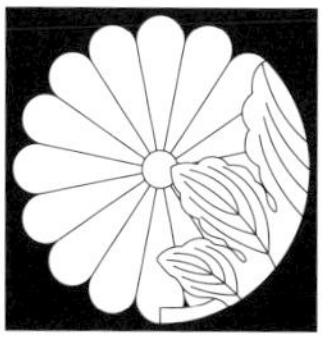
半月菊

雁木菊

十菊

秩父宮家

葉付乱菊

菊に観世水

捻じ菊

八つ菊

伏見宮家

変わり杏葉菊

杏葉菊

四つ割菊に葉付菊

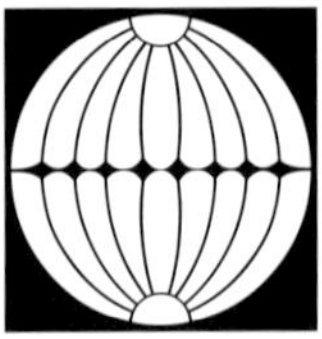
上下割菊

菊菱

割杏葉菊

陰杏葉菊

浮線綾菊に剣片喰

三つ割菊

裏菊菱

細輪に菊の葉

葉陰杏葉菊

葉敷横見菊

陰三つ割菊

三つ菊菱

抱菊葉

花陰杏葉菊

横見菊に抱菊葉

花付三つ割菊

三つ盛菊菱

陰抱菊葉

葉中陰杏葉菊

六角形葉付三つ横見菊

三つ割菊に剣片喰

千重菊菱

石持地抜抱菊葉

鬼杏葉菊

三つ葉乱菊

四つ割菊に花角

上下対い菊菱

菊鶴

葉付菊菱

菊枝丸

割菊葉に菊

抱鬼菊葉

変わり菊鶴

割菊葉菱

鬼菊枝丸

抱菊葉に割桐

割菊の葉

菊飛び蝶

三枚菊の葉

乱菊枝丸

外向き割抱菊葉三つ巴

外向き割抱菊葉

揚羽菊蝶

変わり花敷菊

変わり乱菊枝丸

浮線菊

割違い菊葉

変わり揚羽菊蝶

枝菊

葉付横見菊の丸

浮線花菊

三つ追い菊の葉

海老菊

菊船

変わり菊枝丸

三つ横見菊

変わり抱菊

京都妙法院

菊蜀甲

丸に半菊

菊水

大宮家菊

丸に二つ半菊

葉付菊水

木戸家菊

半菊に一文字

変わり菊水

木戸家菊菱

菊に一文字

三つ盛十枚菊水

青山家菊

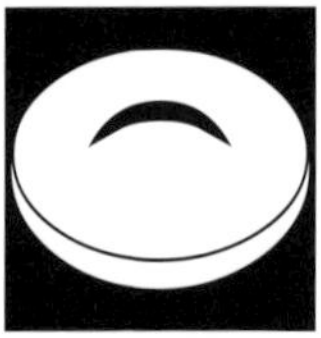
光琳饅頭菊

神戸湊川神社

板倉家菊

葉付光琳菊

桐《きり》

桐紋は白桐ではなく梧桐（あおぎり）を図案化したもの。鳳凰がとまる木とされることから、天帝の象徴とされた。

主な使用家

皇室
水無瀬家
七条家
足利氏

五三桐

丸に五三桐

総陰五三桐

葉陰五三桐

総細中陰五三桐

細中陰五三桐

菱に覗き桐

変わり五七桐

五七桐

三つ割五三桐

中陰五三桐

菱に覗き中陰光琳桐

変わり五七桐

八重菊輪に五七桐

中陰三つ割桐

石持地抜五三桐

桐菱

変わり五七桐

五七割桐

五三鬼桐

五三割桐

細中陰桐菱

変わり五七桐

五七鬼桐

葉陰五三鬼桐

割入れ違い桐

上下対い桐菱

入れ違い桐

五三割鬼桐

中陰五三鬼桐

中陰割桐

細中陰上下対い桐菱

入れ違い桐菱

変わり五七桐

五三花桐

割桐に三つ割菊

花桐崩し

花桐

葉鬼踊り桐

踊り桐

三つ盛五三桐

陰花桐崩し

変わり花桐

変わり踊り桐

陰踊り桐

尻合わせ三つ花桐

五枚鬼桐

変わり花桐

乱れ桐

中陰踊り桐

頭合わせ三つ桐丸

三月桐

変わり花桐

陰乱れ桐

変わり踊り桐

浮線桐

二葉桐

三つ割花桐

中陰唐桐

変わり踊り桐

中陰浮線桐

二葉鬼桐

下がり花桐

桐舟

変わり細中陰踊り桐

糸輪に覗き桐

揚羽桐蝶

鷺桐

桐の枝丸

六つ唐桐車

桐車

中陰揚羽桐蝶

小判桐

変わり桐の枝の丸

中陰六つ唐桐車

中陰桐車

桐飛び蝶

一筆桐

変わり花桐の丸

埋み桐

変わり桐車

細中陰桐飛び蝶

揚巻桐

七枚桐の丸

桐崩し

捻じ桐車

中陰桐胡蝶

枝桐

割花桐の丸

芋桐

花桐車

五三桐に重ね鷹の羽

中陰枝桐

丸に三本花桐

杜《と》若《じゃく》桐

花桐車菱

村野家桐

三井家桐

仙石家桐

利休桐

光琳桐

有馬家桐

三井家桐

上田家桐

梧桐の丸

中陰光琳桐

有馬家割桐

三井家桐

上田家陰桐

太閤桐

光琳鐶桐

福井家桐

三井家桐

川越家桐

太閤桐

光琳花桐

多度桐

内藤家桐

佐竹家桐

上杉家桐

光琳崩し桐

松江家桐

細川家桐

新田家桐

島津家下がり桐

光琳桐の丸

文晁桐

対州桐

土佐桐

尾張熱田神社

京都上御霊神社

京都金閣寺銀閣寺

葛《くず》

「秋の七草」に数えられる葛の根は、漢方薬や食品(葛粉)などに用いられる。葛の可憐な花が好まれた。姓に葛が含まれる家に多い。

主な使用家

久下氏
山角氏
青木氏
荒木氏

葛の花

三つ横見葛の花

三つ割葛の花

横見葛の花

三つ葛の葉

三つ割葛の葉

梔子《くちなし》

実が熟しても口が開かないことから、その名がついたといわれる。食用や生薬として用いられる。江戸後期以降に考案されたようだ。

主な使用家

水谷氏

梔子

石持地抜梔子

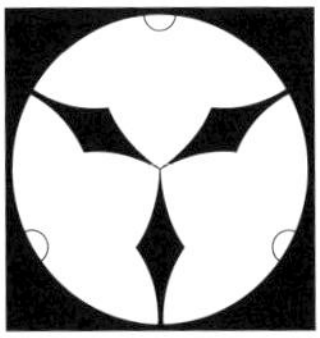
三つ割梔子

陰三つ割梔子

三つ横見梔子

丸に三つ剣梔子

胡桃《くるみ》

胡桃は家具材として利用される。非常に硬い実が特徴。使用諸氏が不明の謎紋だが、久留子紋（176頁）から派生した紋と考えられる。

主な使用家

不明

丸に胡桃

中輪に光琳胡桃

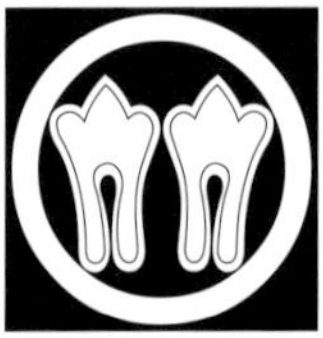
丸に並び胡桃

三つ葉胡桃

三つ葉光琳胡桃

三つ割胡桃

河骨《こうほね》

太くて白い根茎が骨に見えることからこの名がついた。河骨紋は葵紋（40頁）の使用制限から生まれたもので、実際の河骨の形と異なる。

主な使用家

堀江氏
大高氏
南氏
大浦氏

三つ河骨

丸に頭合わせ三つ河骨

頭合わせ五つ河骨

中輪に五つ裏河骨

糸輪に総覗き河骨

割河骨

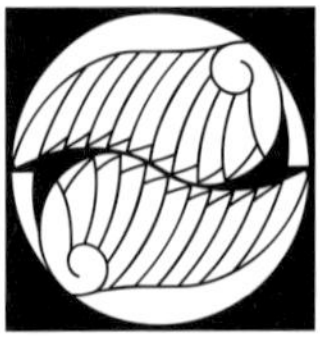
上下割河骨

三つ割河骨

三つ割蔓河骨

三つ割花河骨

変わり三つ割花河骨

流線形花河骨

榊

さかき

神事に欠かせない榊は、神と人の境、境木（さかき）が語源。熊野神社の神官を務めた鈴木氏の代表紋。家紋としては多く用いられない。

主な使用家

穂積氏
鈴木氏
亀井氏
宮井氏

立ち榊

丸に立ち榊

丸に榊

丸に榊に鈴

榊丸

榊に弊

河骨枝丸

河骨枝丸

河骨菱

枝河骨

河骨枝丸

四つ蔓河骨

枝河骨

河骨枝丸

丸に二つ剣河骨

水に河骨

河骨枝丸

剣三つ河骨

河骨に水

河骨枝丸

蔓三つ河骨

河骨桐

河骨枝丸

三つ追い蔓河骨

桜

さくら

春を代表する花で、日本人に最も親しまれている国花の一つ。古くから諸行無常にたとえられた。百円硬貨の表にもデザインされている。

主な使用家

細川氏
松平氏
桜井氏
仙石氏

雀口桜

三つ割桜

陰裏桜

桜

山桜

陰三つ割桜

八重桜

陰桜

陰山桜

中陰三つ割桜

九重桜

中陰桜

向こう山桜

抱桜

江戸桜

石持地抜桜

陰向こう山桜

杏葉桜

光琳太陰桜

裏桜

捻じ山桜

葉付横見桜

葉敷桜

臺《うてな》地抜裏桜

四つ盛割桜

枝桜

葉付三つ桜の丸

月落ち桜

三つ割山桜

五つ立ち桜

枝桜

桜枝丸

桜胡蝶

中輪に細山桜

浮線綾桜

枝桜崩し

桜枝丸

葉付桜胡蝶

三つ割細山桜

浮線綾山桜

散り桜

桜枝丸

揚羽桜蝶

三つ横見山桜

変わり浮線綾桜

変わり散り桜

枝桜

桜飛び蝶

八重大和桜

花柳桜

九重散り桜

枝桜

中陰桜飛び蝶

釜敷山桜

左近桜

京都平野神社

細川家桜

京都平安神宮

細川家三つ割桜

大和吉野神宮

仙石家九曜桜

陸前塩釜神社

櫻井家桜

京都御室仁和寺

小山家蟹桜

大和唐招提寺

笹竹《ささたけ》

文様上、竹と笹は区別されていない。公家が始まりだが、雀紋（138頁）を用いていた勧修寺家が竹を加え、その後武家に広がった。

主な使用家

朝倉氏
粟飯原氏
上杉氏
箸尾氏

三枚笹

石持地抜九枚笹

五枚笹

丸に細九枚笹

六枚笹

丸に追い九枚笹

九枚笹

中輪に頭合わせ九枚笹

丸に九枚笹

十枚笹

陰九枚笹

丸に十二枚笹

割篠笹

丸に七五三根笹

六角形九枚笹

竹菱に三枚笹

十五枚笹

三つ割篠笹

股付変わり根笹

笹七宝に九枚笹

竹菱六枚笹

三つ追い十五枚笹

糸輪に三つ篠笹

九枚根笹

根笹

五枚竹笹菱

丸に頭合わせ十五枚笹

雪持笹

中輪に篠笹

丸に根笹

上下対い笹菱

丸に三つ折れ笹

陰雪持笹

細輪に三本足篠笹

丸に変わり根笹

十枚笹菱

重ね九枚笹

雪持根笹

糸輪に五本足篠笹

丸に節根笹

十二枚笹菱

杵築笹

抱竹笹に一文字

竹輪に十五枚笹に対い雀

丸に二本竹に笠

太丸に切竹笹

九枚笹車

笹の丸

篠笹竹の丸

竹亀甲に九枚笹

丸に変わり切竹笹

笹車

笹の丸

変わり竹丸

三つ竹輪違い

丸に二本竹笹

変わり笹車

笹の丸

抱竹笹

竹輪に篠笹

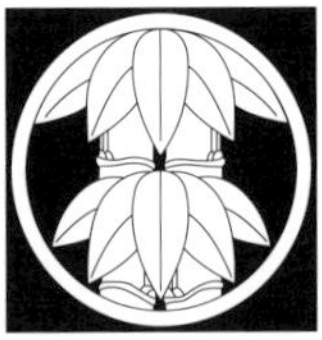
中輪に二本竹に笹

熊笹

花付笹の丸

抱竹に切竹笹

竹輪に三つ盛笹

丸に変わり切竹笹に笠

変わり熊笹

笹の丸に飛び雀

六方竹笹に抱角

竹輪に九枚笹

丸に切竹笹に笠

三枚熊笹

山口家笹

変わり上杉家笹

丸に並び切竹

笹舟

竹笹の丸

鳥居家笹

宇和島笹

細輪に三つ切竹

一文字竹に三枚笹

笹枝菱

勝田家切竹笹

宇和島変わり笹

丸に切竹十字

松竹梅

変わり笹枝菱

松井家岩笹

米沢笹

違い切竹

庵笹に膨雀

枝笹

稲葉家九枚笹

吉田家笹

勧修寺家笹

竹丸に膨雀

変わり枝笹

岩村家笹

柳生家笹（地楡）

上杉家笹

篠付三枚笹

糸輪に変わり枝笹

歯朶《しだ》・穂長《ほなが》

歯朶類の裏白のこと。穂長やモロムキの名でも知られる。紋帖によって名称が異なる。正月には注連縄や鏡餅のお飾りに用いられる。

主な使用家
芥川氏
七原氏
橋本氏
永森氏

下がり歯朶

穂長の丸

三つ穂長巴

歯朶の丸

穂長菱

穂長の丸に八重向こう梅

歯朶飛び胡蝶

穂長の丸に梅の花

穂長船

浮線歯朶

丸に変わり穂長

三枚歯朶

丸に筍

佐竹家笹

丸に筍

竹林家竹

丸に筍

丸に筍

丸に筍

丸に筍

筍桐

丸に筍

長谷川家筍

丸に筍

棕櫚《しゅろ》

古くから棕櫚の樹皮は棕櫚縄となり、神霊の憑代として利用されている。棕櫚は、羽団扇の形に似ている。

主な使用家

大森氏
米津氏
佐々氏
白戸氏

棕櫚

変わり抱棕櫚

抱棕櫚

入れ違い割棕櫚

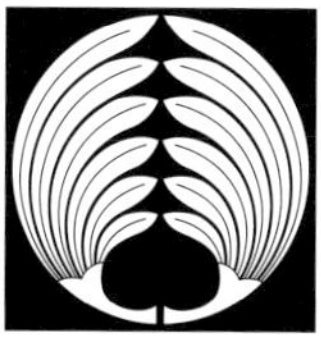
割棕櫚

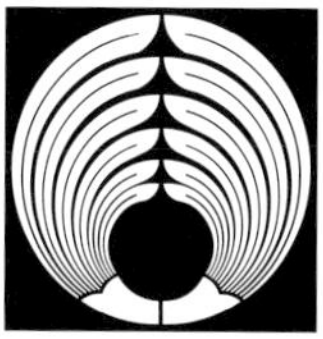
加納家抱棕櫚

三つ割棕櫚

長溝家棕櫚

上下対い棕櫚菱

米津家棕櫚

棕櫚の枝丸

静岡浅間神社

水仙《すいせん》

中国での呼び名（水仙）を音読みしたもので、その語源は中国の古典に由来する。文献に水仙紋は現われない。比較的新しい紋章である。

主な使用家

水沼氏
二村氏
管野氏
文屋氏

根引き水仙

根引き水仙

水仙の丸

水仙の丸

水仙の丸

水仙の丸

杉《すぎ》

まっすぐの木（直木）が語源。数百年以上もの長い年月をかけて成長するものがある。神木として神聖視されてきた。姓に杉が含まれる家に多い。

主な使用家

狩野氏
本多氏
新見氏
杉氏

光琳一本杉

一本杉

変わり一本杉

陰一本杉

丸に覗き二本杉

丸に一本杉

丸に五本杉

並び杉

五本杉

三つ盛杉

七本杉

重ね三本杉

水仙の花

抱水仙

変わり水仙の花

抱水仙

葉敷向こう水仙

抱束ね水仙

五つ水仙車

五つ鐶に束ね水仙

水仙に水

水仙の丸に桔梗

水仙に観世水

藤輪に抱変わり水仙

社頭杉

割杉

一つ杉巴

社頭杉

割杉

三つ杉巴

本田家一本杉

三つ割杉

変わり杉巴

杉家三本杉

頭合わせ三つ割杉

三つ追い杉

近江建部神社

中太輪に一つ鱗杉

杉菱

筑前宗像神社

中輪に三つ鱗杉

割杉菱

芒

すすき

秋の七草の一つ。穂を動物の尾に見立て、「尾花」という別名を持つ。江戸の頃、中秋の名月の月見の添え物として、町には芒売りも現われた。

主な使用家

大河原氏
伊達氏
湯本氏
西沢氏

芒の丸

抱芒

三つ追い芒

芒に露

雪輪に芒

芒輪に豆桔梗

菫

すみれ

『万葉集』にも詠まれた野草（花）で、古くから親しまれてきた。紫色の名称（菫色）としても用いられる。文様として描かれる例は少ない。

主な使用家

増山氏
毛利氏
中尾氏
小林氏

菫

抱菫

一つ菫

三枚葉菫の丸

菫車

四枚葉菫の丸

三つ葉菫

菫飛び胡蝶

三つ菫

増山家菫

変わり菫

毛利家菫

大根

だいこん

春の七草に数えられる。大根の葉は七草粥に蘿蔔（すずしろ）の名で用いられる。歓喜天への供物として知られる。

主な使用家

本庄氏
冨田氏
若菜氏
新庄氏

真向き大根

大根の丸

大根の丸

割大根

違い大根

本庄家大根

橘

たちばな

不老不死の霊薬である非時香菓（ときじくのかぐのこのみ）は、現在の橘のこと。日本原産の野生の木は絶滅の恐れがある。

主な使用家

橘氏
薬師寺氏
小寺氏
井伊氏

六角形三つ割橘

抱橘

上下対い橘

橘

杏葉橘

割橘

三つ橘

丸に橘

浮線橘

入れ違い割橘

陰三つ橘

陰橘

変わり浮線橘

三つ割橘

六角形三つ橘

総陰丸に橘

花橘

三つ割枝橘

三つ竜胆橘

中陰橘

橘崩し

頭合わせ三つ割橘

変わり三つ竜胆橘

石持地抜橘

光琳葉敷橘

枝橘

橘桐

菱に橘

丸に三本足橘

利休橘

変わり枝橘

橘桐

橘菱

丸に菊座橘

中陰三つ組橘

橘枝丸

橘飛び蝶

上下対い橘菱

陰丸に変わり菊座橘

向こう橘

糸輪に枝橘

橘胡蝶

三階橘菱

立ち橘

陰向こう橘

光琳枝橘

橘鶴

三葉橘

七枚葉橘

変わり向こう橘

陰光琳枝橘

盃橘

団扇橘

橘浮線綾崩し

茶の実

ちゃのみ

茶の実紋は橘紋（89頁）と酷似している。千姓の使用があることから、茶道に関わる諸氏に用いられた可能性がある。

主な使用家

橘氏
千氏
土田氏
津田氏

上下対い茶の実

一つ茶の実

上下対い茶の実菱

丸に一つ茶の実

団扇に違い茶の実

陰一つ茶の実

三つ茶の実

石持地抜茶の実

陰三つ茶の実

菱に一つ茶の実

亀甲三つ茶の実

横見茶の実

黒田家橘

糸輪に豆変わり向こう橘

薬師寺家橘

裏向こう橘

大和大和神社

八重向こう橘

京都梅の宮神社

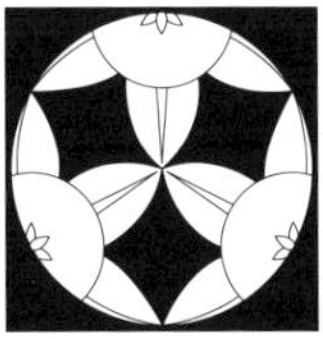
三つ割向こう橘

平安右近橘

久世家橘

日蓮宗橘

井伊家橘

丸に一つ丁子

石持地抜一つ丁子

丸に違い丁子

陰違い丁子

変わり違い丁子

三つ丁子

丁子《ちょうじ》

乾燥させた花蕾が香辛料（クローブ）として用いられた。文様では〝宝尽くし〞の一つに数えられる。公家の三条西家、押小路家が用いた。

主な使用家

松平氏
土井氏
真崎氏
甲藤氏

枝茶の実

丸に葉無し三つ茶の実

三つ竜胆茶の実

二つ葉茶の実

糸輪に剣三つ茶の実

五つ竜胆茶の実

茶の実枝丸

花三つ茶の実

四つ茶の実

葉陰揚羽茶の実蝶

茶の実菱

五つ茶の実

向こう茶の実

抱葉茶の実

割茶の実

陰向こう茶の実

浮線茶の実

三つ割茶の実

左二つ丁子巴

二股丁子の丸

横見丁子

三つ盛違い丁子

変わり三つ丁子

変わり右二つ丁子巴

左一つ丁子巴

蔓三つ丁子

子持抱丁子

中輪に五つ丁子

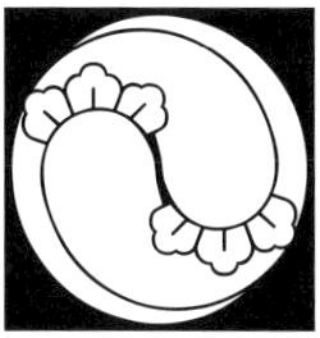
組合わせ二つ花形丁子巴

陰左一つ丁子巴

剣三つ丁子

三つ組丁子

六つ丁子

左三つ丁子巴

右一つ丁子巴

四つ花形丁子

六つ組丁子

七つ丁子

陰左三つ丁子巴

右二つ丁子巴

三つ割丁子

八つ丁子菱

八つ丁子

右三つ丁子巴

陰右二つ丁子巴

割頭合わせ三つ丁子

蔓四つ丁子菱

九つ丁子

陰丁子鶴

右金輪丁子巴

丁子枝丸

左五つ丁子巴

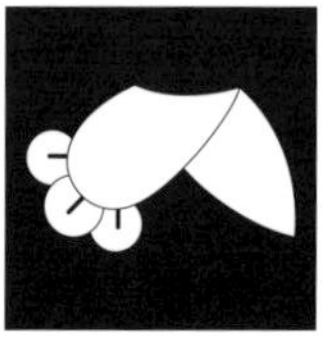

折れ丁子

五つ捻じ丁子

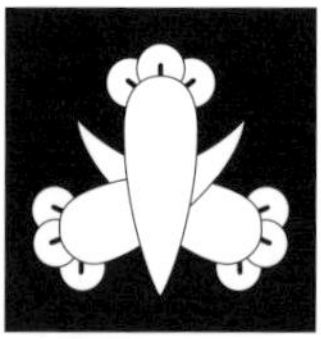

花園家丁子

浮線丁子

押小路家丁子

子持丁子飛び蝶

野津家丁子

丁子桐

蔦《つた》

「岩などにつたって伸びる」という意味が語源。その繁殖力から、子孫繁栄を願って用いられた（嫁ぐ娘の幸せを蔦に託した）。

主な使用家

藤堂氏
椎名氏
富田氏
松平氏

雪輪に蔦

蔦

唐草輪に蔦

丸に蔦

糸菱に蔦

陰蔦

三つ盛蔦

細中陰蔦

丸に三つ蔦

中陰蔦

三つ蔓蔦

石持地抜蔦

鬼蔦菱

鬼蔦

浮線蔦

細中陰三つ捻じ蔦

割蔦

丸に大割鬼蔦

陰鬼蔦

変わり浮線蔦

細中陰三つ組合蔦

入れ違い割蔦

上下対い大割鬼蔦

丸に三つ鬼蔦

浮線蔦菱

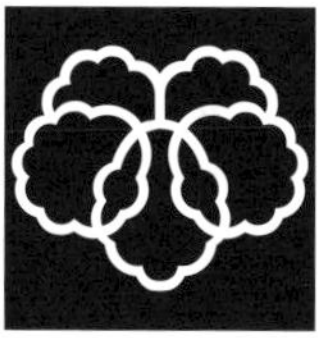
錫杖蔦

三つ割蔦

細輪に大割鬼蔦に一文字

中陰鬼蔦

蔦菱

結び蔦

中陰三つ割蔦

離れ鬼蔦

細中陰尻合わせ鬼蔦

中陰蔦菱

大割蔦

外三つ割蔦

垂れ蔦

捻じ陰鬼蔦

上下対い蔦菱

朧蔦

捻じ蔦

昭和蔦

菱に覗き蔦

枝蔦

利久蔦

蔓蔦

蔦の花

糸輪に豆中陰蔦

蔦枝の丸

陰変わり利休鬼蔦

光琳中陰蔦

細輪に六つ蔦の花

変わり蔓三つ蔦

変わり蔦枝丸

輪違い蔓蔦

太陰光琳蔦

藤堂家蔦

細輪に地紙に蔦

変わり蔦枝丸

鶉蔦

光琳変わり中陰蔦

三河蔦

垂れ角に出蔦

鶉蔓蔦

中陰飛び蝶蔦

中陰光琳三つ組合蔦

石州蔦

中輪に壺に蔦

蔦形枝蔦

蟹蔦

尻合わせ三つ光琳蔦

花鉄仙崩し

花鉄仙

三つ葉鉄仙

三つ鉄仙

八つ花鉄仙

中陰花鉄仙

六つ蕊付鉄仙

五つ鉄仙

杏葉花鉄仙

糸輪に豆花鉄仙

捻じ鉄仙

六つ鉄仙

葉敷花鉄仙

三つ割花鉄仙

幼剣六つ鉄仙

陰六つ鉄仙

菊座花鉄仙

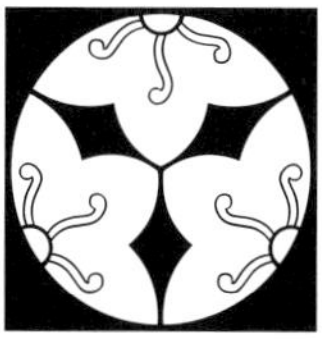
変わり三つ割花鉄仙

鉄仙崩し菱

変わり六つ鉄仙

永井家鉄仙

八重向こう花鉄仙

鉄仙の花

八つ鉄仙

鉄仙《てっせん》

鉄線のように蔓が強いことから、「テッセン」と呼ばれる。風車（カザグルマ）とならびクレマチスの一種。茶道が関わる紋だろう。

主な使用家

永井氏
片桐氏
平田氏
金子氏

田字草《でんじそう》・花勝見《はなかつみ》

葉の形が「田」の文字に見えることから、この名がついた。『万葉集』では花勝見と記されている。四つ片喰紋（61頁）と混合されやすい。

主な使用家

依藤氏
新井氏
和知氏
丹波氏

田字草

丸に田字草

変わり田字草

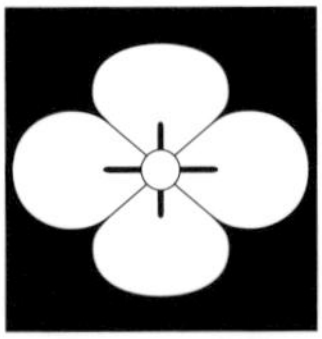
変わり田字草菱

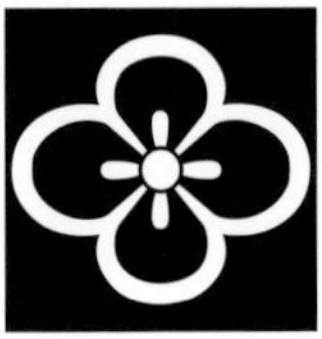
中陰菱形変わり田字草

太輪に勝見

蔓田字草

組合角に蔓田字草

勝見の丸

葉付変わり田字草の丸

葉付覗き田字草

勝見胡蝶

唐辛子《とうがらし》

唐辛子を描いた紋だが、家紋として用いられた記録はない。茄子紋（100頁）に似ることから、その派生の可能性もある。

主な使用家

不明

中輪に獅子唐辛子

丸に違い唐辛子

丸に違い鷹の爪唐辛子

唐辛子巴

葉付三つ唐辛子巴

五つ竜胆唐辛子

梛《なぎ》

凪に通じるとして、船乗りに信仰された。葉の繊維が強いため、男女仲を結ぶと信じられた。平安時代に護符として使用。

主な使用家

諏訪氏
大島氏
鈴木氏
熊野氏

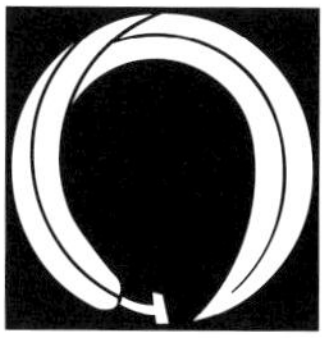
一つ梛の葉丸

二つ梛の葉

違い梛の葉

丸に抱梛の葉

丸に三つ梛の葉

抱梛の葉

梨《なし》・唐梨《からなし》

梨の切り口や、唐梨（柰）、花梨ともいわれる謎の紋。現在でも解明されていない文様の一つ。

主な使用家

永井氏
吉見氏
戸祭氏
大橋氏

梨の切り口

丸に梨の切り口

石持地抜梨の切り口

梨の切り口菱

糸輪に三つ梨の切り口菱

三つ割梨の切り口

糸輪に豆梨の切り口

梨の花

中陰梨の花

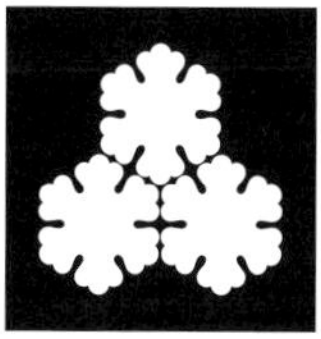
三つ盛梨の花

丸に変わり梨の花

永井家梨の切り口

茄子《なす》

奈良時代に奈須比（なすび）の名で伝わった。初夢の縁起物にも数えられることから、家紋になったのだろう。

主な使用家

山形氏
麓氏
山口氏
村里氏

丸に葉付茄子

三つ寄せ蔓茄子

三つ葉茄子

茄子枝丸

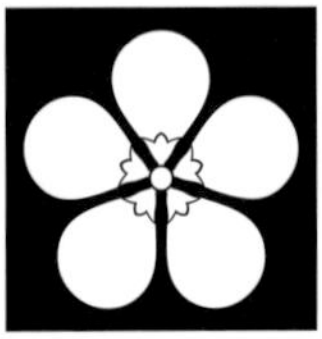
五つ茄子

茄子枝丸

三つ追い茄子

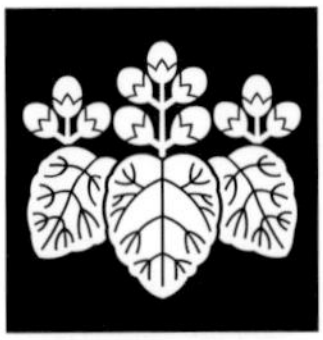
茄子桐

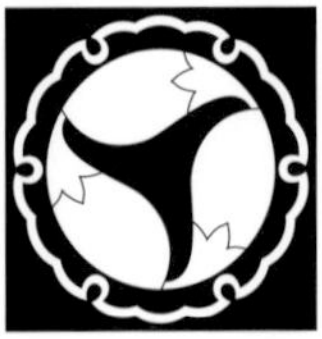
雪輪に三つ追い茄子

変わり茄子桐

三つ割茄子

茄子の実桐

薺《なずな》

実の形が三味線のばちに似ることから「三味線草」、茎を回転させる音から「ぺんぺん草」と呼ばれる。

主な使用家

京極氏
畠山氏
長氏
伊丹氏

五つ薺

薺

丸に薺

雪輪に六つ薺

八つ薺

変わり薺

糸輪に覗き江戸撫子

撫子枝丸

上下対い撫子菱

撫子

山口家撫子

変わり撫子枝丸

撫子菱

隅切角に撫子

秋月家撫子

江戸撫子

捻じ撫子

雪持地抜撫子

石竹

丸に江戸撫子

三つ盛撫子

三つ割撫子

丸に石竹

陰江戸撫子

糸輪に豆撫子

陰三つ割撫子

陰石竹

三つ割江戸撫子

葉付撫子

中陰三つ割撫子

撫子《なでしこ》・石竹《せきちく》

撫子紋と石竹紋は、紋帖に限って微妙に形を変えて区別されているが、使用諸氏に違いはなく、特に区別もない。

主な使用家

蘆田氏
井上氏
赤井氏
斉藤氏

南天

なんてん

「難を転ずる」に通じる縁起物。古くから鬼門や裏鬼門の方角に植えて邪気を払うという習慣がある。

主な使用家

楠原氏
清家氏
南氏
松野氏

南天桐

三つ葉南天

枝南天

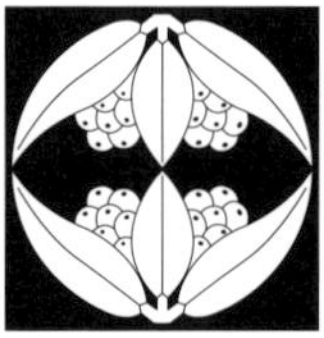
上下対い南天

南天枝丸

三つ追い南天

南天胡蝶

六角形三つ割南天

揚羽南天蝶

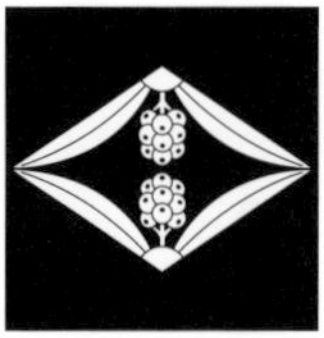
上下対い南天菱

丸に三枚葉南天

抱南天

浮線石竹

中陰石竹

揚羽石竹蝶

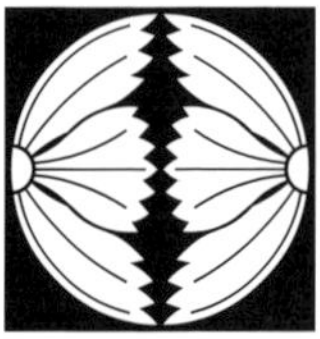
割石竹

石竹胡蝶

三つ割石竹

石竹枝丸

糸輪に覗き石竹

石竹枝丸

菱に覗き石竹

枝石竹

四つ葉石竹

萩《はぎ》

『万葉集』に多く詠まれた木の一つ。中秋の名月には、萩と芒、団子を供える。姓に萩が含まれる家に多い。

主な使用家

杉原氏
吉川氏
富地氏
本郷氏

束ね萩

抱萩

花付抱萩

割抱萩

萩の枝丸

萩の枝丸

萩の枝丸

萩の枝丸

萩の枝丸

萩の枝丸

丸に九枚萩

外雪輪に九枚萩

芭蕉《ばしょう》

俳人・松尾芭蕉が由来の植物。『平家物語』の一節から、「芭蕉の葉を破ることで必勝」として武家に好まれた。

主な使用家

山尾氏
関口氏
錬方氏
田場氏

丸に並び芭蕉

違い芭蕉

三つ立ち芭蕉

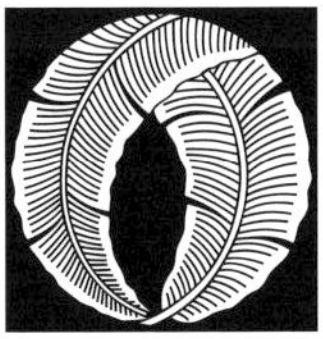
折れ芭蕉の丸

変わり折れ芭蕉の丸

中陰折れ芭蕉の丸

三つ蓮

蓮の花

蓮の丸

中輪に蓮の花

丸に蓮の実

丸に生蓮

細輪に五つ蓮の実

立ち蓮

京都大覚寺

抱蓮の花

岡山本覚寺

真向き蓮の葉

蓮《はす》

蓮はヒンドゥー教や仏教で神聖な植物とされる。仏教では花を蓮華（れんげ）という。瑞祥的な文様としても多く見られる。

主な使用家

蓮見氏
蓮田氏
蓮沼氏
蓮井氏

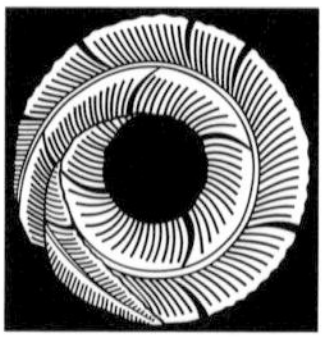
蛇の目芭蕉

二つ折れ芭蕉の丸

破れ芭蕉

変わり芭蕉の丸

一つ芭蕉巴

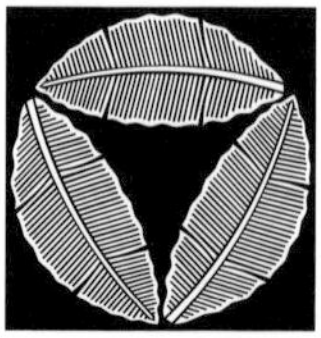
三つ追い芭蕉

左三つ芭蕉巴

三つ割芭蕉

三つ折れ芭蕉の丸

抱芭蕉

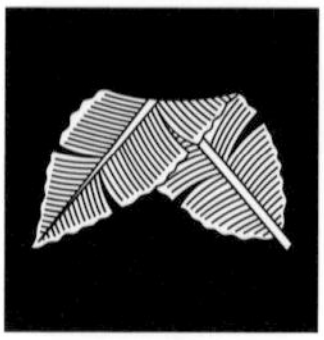
折れ芭蕉

三枚抱芭蕉

柊《ひいらぎ》

葉の棘にさわると疼（ひいら）ぐ（痛む）ことから、その名がついた。魔除けがあると信じられ、節分の追儺の儀式でも用いられる。

主な使用家

市橋氏
大関氏
安威氏
上原氏

鬼面柊

割柊

石持地抜抱柊

丸に一つ柊

三つ柊巴

外向き割柊

抱柊に鳥居

丸に並び柊

揚羽柊蝶

子持割柊

抱柊菱

抱柊

市橋家柊

三つ割柊

丸に違い柊

丸に抱柊

中野家柊

折れ柊

三つ追い柊

陰丸に陰抱柊

江原家柊

糸輪に豆抱柊

三つ柊

丸に陰抱柊

藤《ふじ》

藤紋は藤原氏の代表紋といわれ、多くの公家が用いた。ヤマフジの花と葉を図案化したとされるが、定かではない。

主な使用家

大野氏
伊丹氏
由佐氏
野々村氏

下がりばら藤

左片手藤

上がり藤

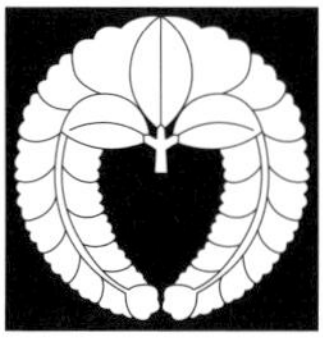
下がり藤

葉出下がりばら藤

右片手藤

丸に上がり藤

丸に下がり藤

上がりばら藤

左一つ藤巴

陰上がり藤

陰下がり藤

斑入り割上がり藤

二つ藤巴

中陰上がり藤

石持地抜下がり藤

軸付上下対いばら藤

三つ藤巴

石持地抜上がり藤

軸付下がり藤

上下対い四つ藤

三つばら藤巴

軸付上がり藤

花藤

藤飛び蝶

三つ蔓藤

三つ葉藤

下がり藤菱

三つ割藤

子持藤飛び胡蝶

藤の花

痩せ三つ葉藤

上がり藤菱

二つ藤

変わり揚羽藤蝶

割藤の花

葉上三つ葉藤

下がりばら藤蔓

六つ藤

変わり藤胡蝶

三つ寄せ藤の花

三つ割三つ葉藤

上下対い藤崩し菱

八つ藤

藤崩し

三つ盛藤の花

糸六角三つ割藤崩し

上下入れ違い枝藤菱

花藤車

利休藤

変わり藤の花崩し

九枚葉藤崩し

変わり三つ葉藤

杏葉藤

東六条家藤菱

西六条家藤

古木藤の丸

軸付上がり藤に違い鷹の羽

藤桐

富小路家藤

西六条家八つ藤

下がり藤の枝丸

上がり藤に鎌

藤崩し乱れ桐

大久保家藤

西六条家六つ藤

九条家藤

軸付藤の丸

三つ葉藤桐

那須家藤

東六条家八つ藤

九条家六つ藤

陰蔓藤の丸

違い藤

加藤家藤

東六条家変わり六つ藤

二条家藤

変わり藤の丸

丸に違い藤花

加藤家藤

東六条家角六つ藤

一条家藤

藤の枝丸

下がり藤に三つ巴

葡萄《ぶどう》

葡萄唐草が豊穣のシンボル（瑞果文）として仏教美術に用いられる。文様や家紋に用いられるのは、日本に自生するヤマブドウの類ではない。

主な使用家

五井松平氏
神原氏
小柳津氏
矢島氏

一房葡萄

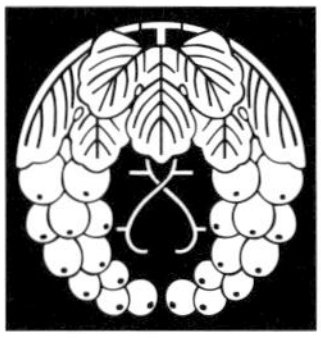
下がり葡萄

枝葡萄

糸輪に葡萄棚

葡萄枝丸

葡萄桐

妙心寺八つ藤

内藤家藤

伊藤家藤

大和薬師寺

内藤家藤崩し

安藤家藤

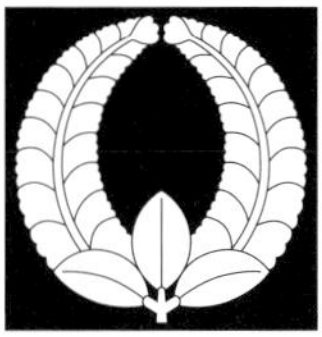
大和石上神社

尼崎家藤

遠山家藤

大阪牧岡神社

黒田家藤

柴田家藤

奈良春日神社

黒田家藤女紋

岩村田家藤

京都護王神社

仏光寺藤

岩船家藤

牡丹《ぼたん》・獅子に牡丹《ししにぼたん》

牡丹は中国原産で観賞用として栽培された。「百花王」として知られ、伝説上の動物の獅子に添えるものもある。

主な使用家

田能村氏
佐分氏
秋田氏
南部氏

抱牡丹

変わり杏葉牡丹

杏葉牡丹

落ち牡丹

変わり抱牡丹

変わり杏葉牡丹

陰杏葉牡丹

陰落ち牡丹

浮線牡丹

変わり牡丹

細中陰杏葉牡丹

三つ盛落ち牡丹

鬼面牡丹

変わり牡丹

石持地抜杏葉牡丹

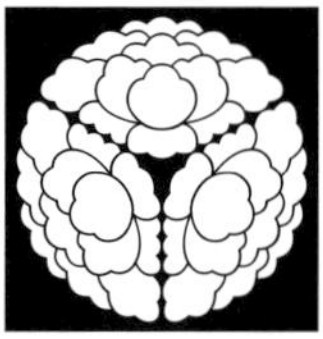
三つ落ち牡丹

変わり葉敷牡丹

変わり牡丹

葉陰杏葉牡丹

大割牡丹

裏杏葉牡丹

立ち牡丹

花陰杏葉牡丹

変わり大割牡丹

牡丹枝丸

枝牡丹

菱に覗き落ち牡丹

捻じ牡丹

向こう牡丹

追い枝牡丹丸

枝牡丹

葉敷牡丹菱

三つ割牡丹

変わり向こう牡丹

牡丹桐

枝牡丹

上下対い牡丹菱

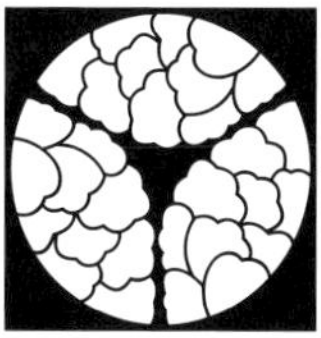
三つ割落ち牡丹

裏牡丹

蟹牡丹

変わり枝牡丹

違い枝牡丹

唐草大割牡丹

陰裏牡丹

葉牡丹鶴

乱れ枝牡丹

糸輪に違い葉牡丹

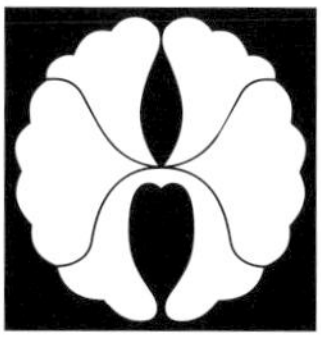
乱れ牡丹

裏すべ牡丹

牡丹胡蝶

二葉牡丹

利休牡丹

葉敷乱れ牡丹

葉付裏牡丹

京都妙顕寺

鍋島家牡丹

住友家牡丹

大谷家牡丹

牡丹に蝶

興正寺牡丹

上野家牡丹

島津家牡丹

大谷家蟹牡丹

三つ葉牡丹

日蓮宗甲斐身延山久遠寺

鹿島家牡丹

島津家変わり牡丹

大谷家枝牡丹

五つ葉牡丹

牡丹唐獅子

仙台牡丹

津軽家牡丹

藤原家牡丹

近衛家牡丹

牡丹唐獅子

薩摩牡丹

津軽家変わり牡丹

三井家牡丹

鷹司家牡丹

秋田家牡丹

加茂牡丹

石橋家牡丹

三井家裏牡丹

花園家牡丹

寓生《ほや》

寄生木（やどりぎ）の古名でヤドリギ類の総称。欅や榎などの落葉高木に寄生して球状となる。鳩とともに描かれる例が多い。

主な使用家

熊谷氏
高力氏
根岸氏
西村氏

寓生

変わり寓生

三つ割寓生

三つ外割寓生の花

浮線綾寓生

寓生の枝丸

抱寓生の丸に対い鳩

抱寓生に対い鳩

抱変わり寓生に対い鳩

寓生に対い鳩

熊谷家寓生

熊谷家抱寓生

松《まつ》・松葉《まつば》

能、狂言、歌舞伎の背景などに用いられ、日本文化に欠かせない存在。松は不老長寿の象徴とされる。梅と竹と合わせた松竹梅は縁起物。

主な使用家

高井氏
天野氏
常葉氏
松田氏

一つ松

櫛松

二階松

三つ重ね松

左三階松

右三階松

六つ若松車

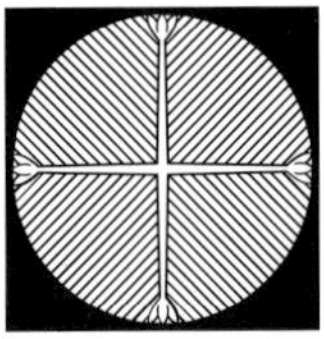
四つ若松

四つ松

中輪に上下対い松菱

陰左三階松

亀甲若松

割若松

丸に五つ松

三つ松

中陰左三階松

二つ追い根付若松

三つ割若松

丸に変わり五つ松

三つ櫛松

雪持地抜左三階松

抱若松

細輪に三つ根付若松

糸輪に五階松

頭合わせ三つ松

荒枝付左三階松

抱若松に菊

六つ若松

三本松

雪持三つ松

荒枝付右三階松

根付抱若松に香い梅

六つ重ね若松

細輪に覗き重ね松

三つ松に勾玉

上下対い松菱

松葉桔梗

三つ追い松葉の丸
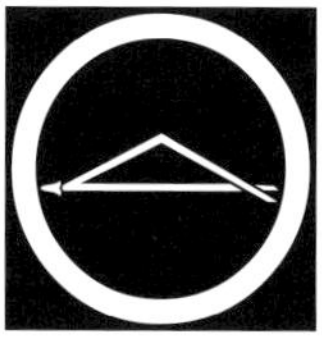
丸に一つ折れ松葉

光琳三つ松

抱若松に並び瓶子

松葉桜

四つ追い松葉の丸

細輪に変わり一つ折れ松葉

光琳根上がり松
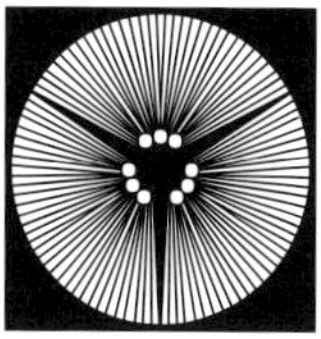
三つ唐松

松葉七宝菱

糸輪に五つ折れ松葉
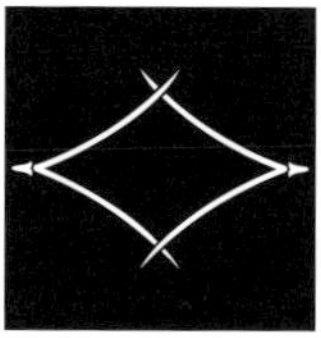
松葉菱

変わり光琳松
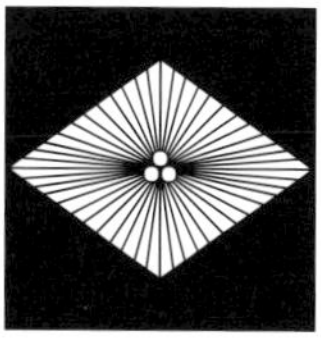
唐松菱
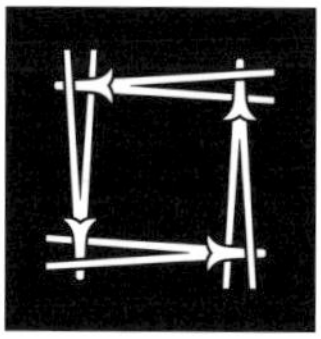
松葉井筒

三つ寄せ松葉
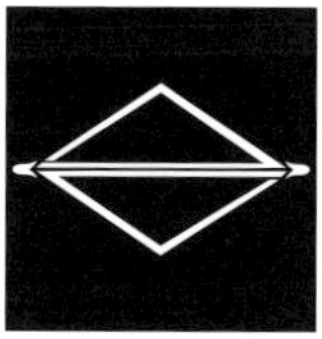
折れ松葉菱

高砂松

松竹菱

松葉葵

松葉片喰

糸輪に違い松葉

京都今宮神社

三つ鱗松

松葉梅鶴

松葉三つ巴
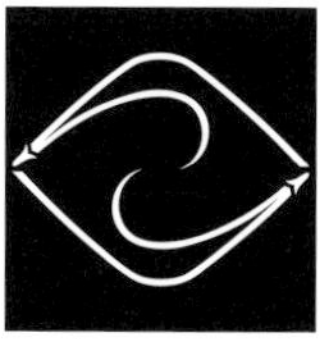
変わり松葉菱

今宮三階松

光琳松

丸に老松笠

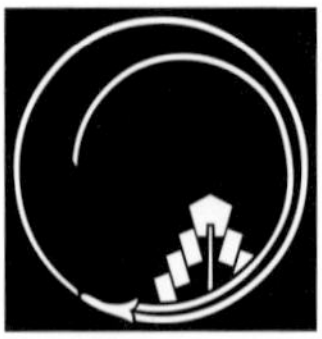
一つ松葉の丸に御幣

揚羽松葉蝶

割松笠

二つ松葉の丸に鳥居

松葉桐

抱松葉に松笠

三つ追い松葉に板谷貝

渦巻き松葉

上下対い松笠菱

抱松葉に光琳鶴

五つ折れ松葉に雪花

永井家松笠

松笠

三つ組松葉に八重梅

中村家松笠

葉付松笠

六角松葉に折り鶴

茗荷

みょうが

摩多羅神（またらじん）のシンボルとされる。冥加（みょうか）に通じるとして、神仏の加護が得られると信じられた。杏葉紋（172頁）に酷似。

主な使用家

二宮氏
稲垣氏
堀氏
中根氏

抱茗荷

丸に抱茗荷

陰抱茗荷

中陰抱茗荷

石持地抜抱茗荷

中陰光琳抱茗荷

抱茗荷に片喰

三つ尻合わせ茗荷

隅切角に一つ茗荷

一つ茗荷巴

入り込み抱茗荷

茗荷の花

三つ茗荷崩し

三つ茗荷

三つ茗荷巴

変わり入り込み抱茗荷

三つ花茗荷

茗荷桐

三つ組茗荷

三つ茗荷巴

大割抱茗荷

茗荷枝丸

揚羽茗荷蝶
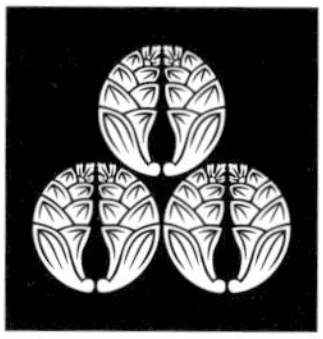
三つ盛抱茗荷

蔓一つ茗荷の丸

八つ割抱茗荷

花茗荷丸

変わり茗荷飛び蝶

入れ違い茗荷菱

違い茗荷

根違い茗荷

稲垣家茗荷

三つ追い茗荷に四つ目

抱茗荷菱

頭合わせ六つ茗荷

入れ違い茗荷

楓

もみじ・かえで

『万葉集』に「かえるで」の名で登場する。葉の形が蛙の手に似ることからそう呼ばれた。鶏冠(とさか)のように赤いことから、鶏冠木とも呼ばれた。

主な使用家

粟飯原氏
東氏
高山氏
遠藤氏

違い楓

尻合わせ三つ楓

中輪に覗き楓

丸に楓

中輪に立ち楓

陰尻合わせ三つ楓

菱に覗き楓

石持地抜楓

四つ楓

中陰尻合わせ三つ楓

割楓菱

雪輪に楓

楓桐

変わり尻合わせ三つ楓

抱楓

丸に変わり楓

杏葉楓

糸輪に三つ楓

変わり抱楓

割楓

変わり杏葉楓

実付三つ楓

抱枝楓

三つ割楓

楓枝丸

楓枝丸

浮線楓

楓に角

楓枝丸

揚羽楓蝶

二葉楓

楓枝丸

変わり揚羽楓蝶

龍田楓

楓枝丸

楓胡蝶

本国寺楓

楓枝丸

楓飛び胡蝶

大和龍田神社

楓枝丸

枝楓

桃《もも》

中国神話で、西王母の住処に三〇〇〇年に一度実る桃を食べると不老不死が得られるとされる。日本では、お伽噺の桃太郎が有名。

主な使用家

神尾氏
町野氏
坪崎氏
野中氏

丸に桃

丸に葉敷桃

枝抱桃

割桃

三つ葉桃

三つ葉付桃

蘭《らん》

中国では梅・菊・竹・蘭を「四君子」と呼んで、唐草文様に用いた。日本では紗綾形（卍崩し）に用いるが、文様は少ない。

主な使用家

辻氏
三谷氏
徳岡氏
上里氏

蘭

横見蘭

三つ寄せ蘭

三つ寄せ葉付蘭

三つ割蘭

変わり三つ割蘭

山吹《やまぶき》

鮮やかで少し赤みの黄色の花をつける。これを山吹色と呼ぶ。小判の色にもたとえられる。古歌にも多く詠われ、古くから好まれた。

主な使用家

橘氏
岡本氏
山脇氏
花田氏

向こう山吹

三つ横見山吹

抱山吹

水に山吹

杏葉山吹

山吹の枝丸

裏山吹

山吹の丸

変わり裏山吹

大丸山吹

三つ横見山吹

下村家山吹

竜胆《りんどう》

根が龍の胆のように苦いことから、竜胆（りゅうたん）と呼ばれたのが語源といわれる。古くは疫病草とも呼ばれた。公家での使用が多い。

主な使用家

石川氏
越智氏
有馬氏
池田氏

頭合わせ三つ笹竜胆

笹竜胆

割笹竜胆

丸に笹竜胆

三つ割笹竜胆

陰笹竜胆

三つ割竜胆

石持地抜笹竜胆

三つ葉竜胆

隅切角に笹竜胆

陰三つ葉竜胆

三つ笹竜胆

一つ蘭の丸

上下対い蘭菱

抱き蘭

上下対い裏蘭菱

裏蘭

抱蘭の花

蘭飛び蝶

一つ蘭の丸

枝蘭

一つ蘭の丸

蘭車

一つ蘭の丸

抱竜胆

枝竜胆

上下対い竜胆菱

三つ折れ葉竜胆

六つ花竜胆

利久竜胆

蔓違い竜胆

四葉竜胆菱

杏葉竜胆

竜胆車

池田家竜胆

入れ違い変わり竜胆

二葉竜胆

浮線竜胆

総陰竜胆車

池田家三つ笹竜胆

枝竜胆の丸

埋み竜胆

竜胆飛び胡蝶

葉陰竜胆車

栖鳳竜胆

三つ追い笹竜胆

三つ葉六つ花竜胆

揚羽竜胆蝶

中陰竜胆車

久我家竜胆

笹蔓竜胆

七宝竜胆

蟹竜胆

変わり竜胆車

蕨飛び蝶

蕨梅

石持地抜三本蕨

蕨車

蕨桜

蕨輪

蕨角

蕨桜

束ね蕨の丸

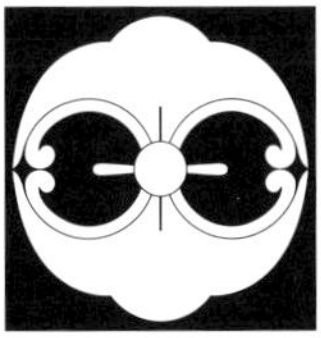
花蕨

蕨桐

抱蕨

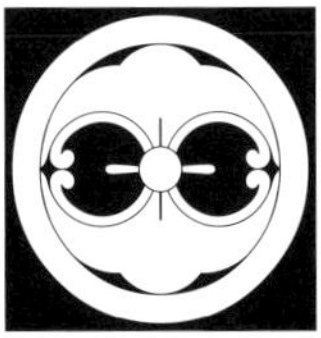
丸に花蕨

蕨木瓜

抱束ね蕨

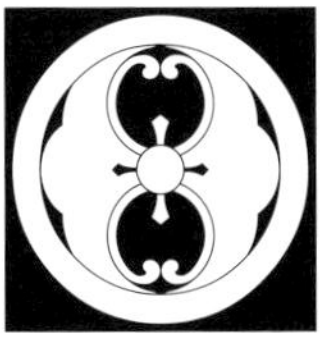
丸に立て花蕨

蕨巴

三つ割蕨

蕨《わらび》

家紋、文様ともに描かれるのは、葉の開いていない若芽の状態の早蕨（さわらび）。刀の柄頭が早蕨の形に似ているため、「蕨手」と称した。

主な使用家

和田氏
上遠野氏
近藤氏
目黒氏

稲垣家立ち竜胆

亀山家竜胆

石川家竜胆

植松家竜胆

太菱に植松家竜胆

滋光寺竜胆

その他

柘榴紋は鬼子母神堂の神紋。また、垣根と菊紋（66頁）を組み合わせた籬架菊（ませぎく）紋や、丁子紋（92頁）の転化と思われる連翹紋など。

抱石榴

抱蕪

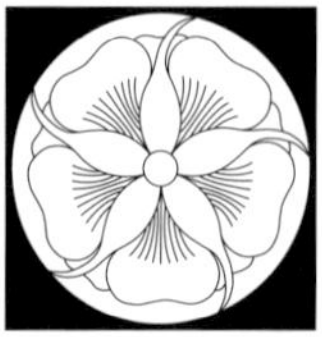
裏柿の花

虎杖

抱花石榴

丸に栗

柿枝丸に三つ星

丸に虎杖

丸に雪持束ね柴

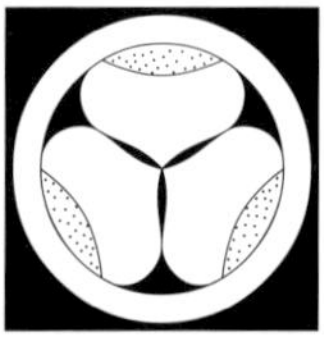
丸に三つ栗

抱柿の葉に柿の実

変わり虎杖

三つ追い芹

抱栗

蕪

三つ割虎杖

蒲公英

小栗家栗

丸に六つ葉蕪

虎杖菱

丸に葉菊草

石榴

割蕪

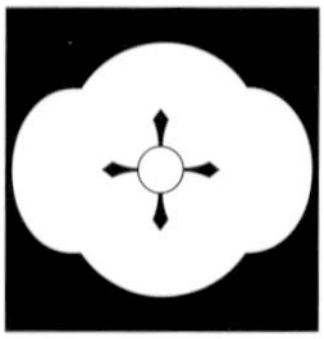
柿の花

連翹たすき

三つ枇杷の葉
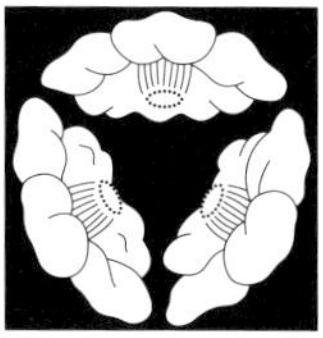
三つ椿

正親町家連翹

籬架菊

三つ葉椿

戸田家連翹

籬架菊

細輪に中陰覗き椿

島原家連翹

百合の花

丸に檜葉

丸に綿の実

百合の枝丸

六角に檜葉

地楡に雀

桑名松平家百合

枇杷

第3章　動物紋

鳥獣、虫、水中生物のほか、
伝説上の生き物などを象った紋章である。

主な動物紋と特徴

動物紋の中で多いのが烏をモチーフにしたもの。

烏《からす》紋（135頁）の烏は、古くから吉兆を示す鳥だった。特に三本足の烏（八咫烏《やたがらす》）は神の使い、太陽の化身とされてきた。「八咫烏」はご存じのように、日本サッカー協会のシンボルマークだ。

雁金紋（135頁）の雁金は、絶滅が危惧されているカモ目カモ科の鳥（渡り鳥）で、目の周りに黄色のアイリングがある。「真雁」とともに行動するため、しばしば混合されたが、江戸時代に入ってから区別されるようになったという。

使用家の多い**鷹の羽紋**（139頁）。タカ目タカ科の鳥の中で、体が比較的小さいものを鷹、大きいものを鷲と呼ぶ。勇猛な鷹は、鷹狩りなどのために飼育されてきた。その鷹の羽の矢を、武家が家紋として用いるようになった。**矢紋**（207頁）と似るため、間違える人もいる。

鳩紋（146頁）の鳩は平和の象徴とされるが、日本でも古くから八幡神の使者として位置づけられてきた。「八」の字の「対い鳩」はこの八幡神を表わしている。**寓生《ほや》紋**（113頁）と一緒に描かれることが多い。

中国の伝説上の生き物を象った紋章もある。たとえば、鳳凰、龍、麒麟、霊亀などだが、麒麟以外は家紋になっている。

本書の**麒麟紋**（149頁）は、江戸期の紋帖である『新選紋所帳』（天保四年）に載る図案であり、家紋ではない。なぜ、家紋にならなかったのか定かではない。

鳳凰は善政（平和）の象徴である。雌雄が一緒に飛んで鳴き合えば天下泰平とされた。なお、鳳凰は梧桐（日本では白桐）の木にしかとまらないとされる。そのため、**鳳凰紋**（147頁）は梧桐とともに描かれるなど、両者は切っても切れない関係にある。

龍には階級が存在する。最下級の龍を「璃龍」（雨龍）という。**龍紋**（148頁）の「雨龍」は京都の天竜寺と南禅寺の寺紋として有名だが、ここで描かれているのは、龍となる前の幼龍（龍の子）や、井戸に住む小さな龍（臆病者の代名詞）など諸説あるようだ。他に、鯉の死後の姿、竜鯉《りょうり》であるという説もある。これは「登竜門」、別名「鯉の滝昇り」の言葉の由来とされる。

古くから龍は文様としてよく用いられてきた。しかし、雨龍文様は中国では見かけない。日本でもてはやされたのは、その姿の妙や身近な水神であるからだろう。「八百万の神」という日本独自の考え方（自然万物のすべてに神が宿る）に基づくものといえるかもしれない。

霊亀は「蓑亀《みのがめ》」（甲羅に緑の毛がついた亀）であり、長寿などの象徴として家紋に**亀紋**（134頁）が用いられた。

魚が家紋になっている例は少ない。魚は足が早い（腐りやすい）として好まれなかったからのようだ。魚紋は基本的に図案が多く、家紋としては「新紋」（明治以降の新しい紋章）でたまに見かけるくらいだ。鳥取市長田神社では、神紋の替紋として「鯛紋」（対い鯛）を用いている。

ただし、**海老紋**（132頁）、**蟹紋**（134頁）はよくある。海老や蟹は堅い甲羅で身が守られていることから、武家が好んで家紋に用いた。

貝紋（132頁）にも同じことがいえる。貝紋の中で多いのが**板谷貝紋**と**蛤紋**（ともに133頁）である。板谷貝は兜に似るところから、家紋に用いられたようだ。蛤の貝殻は、平安時代から「貝合わせ」の遊びに使われてきた。ペアになっている殻以外とはぴったりと形が合わない。そのため、夫婦和合の縁起物として扱われてきた。

法螺紋（133頁）は京都聖護院の寺紋として有名である。いまも修験道などで吹く法螺貝は、戦国時代には戦意高揚や合戦における合図として用いられた。本来は「器材紋」に分類されるものである。

動物紋の中でもひときわ目立つのが**蝶紋**（142頁）だろう。「揚羽蝶」はいわゆるアゲハチョウそのものではない。「羽を上げた状態」を指している。対して、「羽を臥せた状態」が「臥蝶」（浮線蝶）である。「浮線綾」に蝶文様を加えた「臥蝶丸《ふせちょうのまる》」から、やがて浮線＝蝶を意味するようになったと考えられる。余談だが、母系継承の女紋に用いることも多い。

他に、特筆すべき動物紋として**蝙蝠《こうもり》紋**（149頁）にふれておきたい。蝙蝠といえば、西洋では不吉の象徴とされるが、中国では「偏福（福が偏って来る）に通じるとして幸運の象徴とされる。日本でも吉兆とされた。

江戸後期に、歌舞伎役者の七代目市川団十郎が蝙蝠の柄を流行らせた（蝙蝠紋を替紋としたといわれるが、市川団十郎事務所によるとそのような記録はないという）が、文様として用いられた例は少ない。

もちろん、家紋としている例はまれである。唯一、文献で中国から帰化した張季明の後胤である山本氏が用いたとあるが、その図案がどのような形状か定かではない。

蝙蝠をモチーフとした例は、カステラの福砂屋の屋号や、広島県福山市の市章、旧日本石油の社章などがある。

兎《うさぎ》

古くから神聖な動物とされる。『古事記』の因幡の白兎が有名。「月に兎が住む」という伝説から、月とともに描かれることが多い。

主な使用家

三橋氏
水島氏
登島氏
橋本氏

真向き兎

波に月に兎

対い兎

花兎

後ろ向き番い兎

月に兎

三つ兎

夕浪兎

後向き三つ兎

一筆兎

後向き三疋兎

女夫兎

馬《うま》

人間と密接な関係にある馬が文様になった時期は定かではない。馬紋の使用氏族の多くは、平将門を先祖とする相馬家やその一族である。

主な使用家

相馬氏
贄河氏
平野氏
三田氏

丸に馬

丸に馬

丸に馬

細輪に馬

左馬

右駆け馬

片杭覇馬

走り馬

二頭走り馬

座り馬

相馬家繋ぎ馬

不破新馬

海老《えび》

長い触角と曲がった尾を持つ海老は、「腰が曲がるまで」という老人（長寿）を表わす瑞祥動物として古くから珍重されてきた。

主な使用家

江見氏
海老氏
恵美氏
海老名氏

海老の丸

海老の丸

伊勢海老の丸

対い海老の丸

二つ追い海老の丸

三つ追い海老の丸

貝《かい》

「板谷貝」「蛤」「その他の貝」「法螺」が家紋として使用されるが、ここでは「貝」としてひとまとめにした。

主な使用家

岩永氏
青木氏
椿井氏
吉野氏

丸に二つ貝

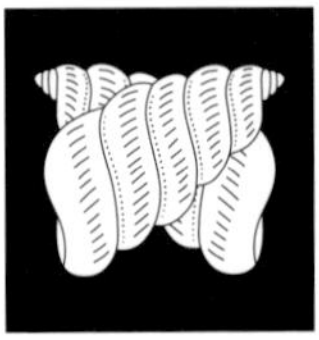
違い貝

三つ貝

兜貝

栄螺

板谷貝

海松に蛤

五つ重ね蛤

一つ蛤

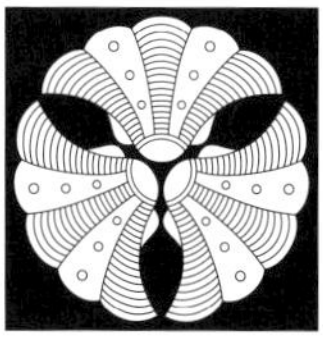
変わり三つ板谷貝

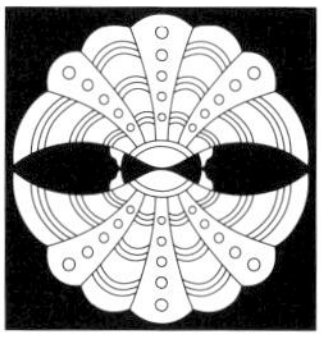
二つ板谷貝

海松に三つ蛤

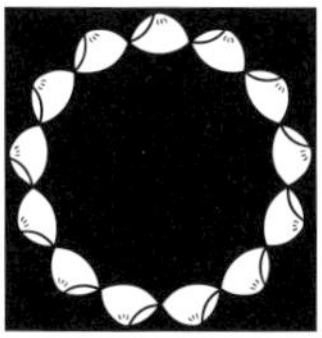
繋ぎ蛤

中輪に二つ蛤

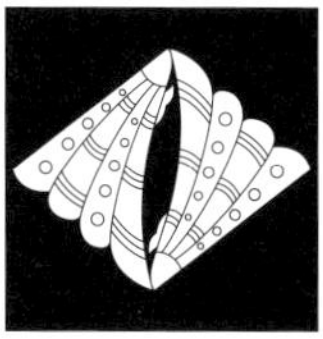
割入れ違い板谷貝菱

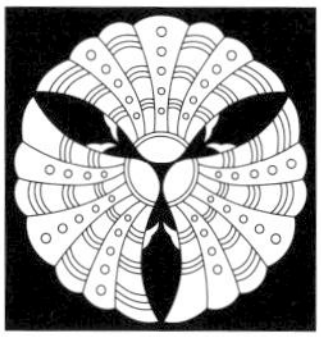
三つ板谷貝

糸輪に法螺貝

三つ盛蛤

糸輪に頭合わせ三つ蛤

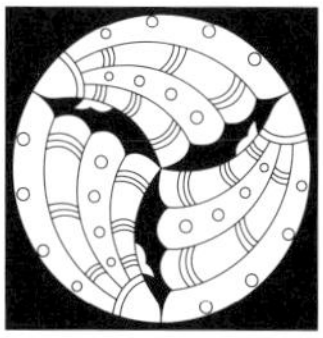
三つ割板谷貝

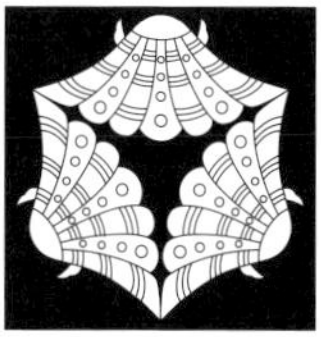
尻合わせ三つ板谷貝

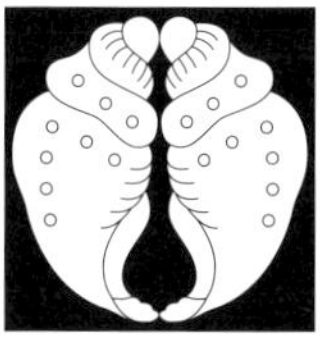
対い法螺貝

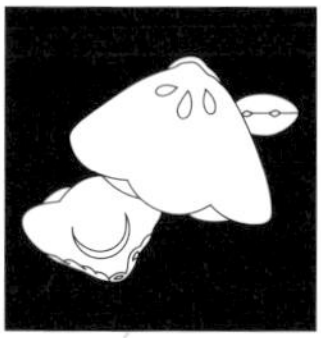
変わり三つ蛤

糸輪に三つ蛤

板谷貝飛び蝶

糸輪に四つ板谷貝

京都聖護院法螺貝

蛤飛び蝶

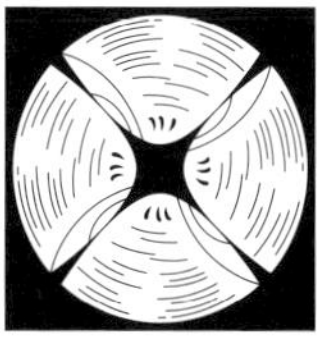
四つ蛤

浮線板谷貝

五つ板谷貝

法螺貝

蛤飛び蝶

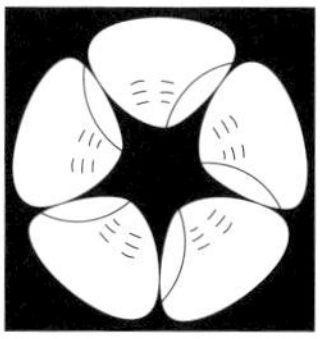
五つ蛤

二葉板谷貝

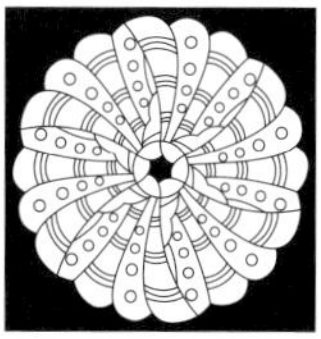
板谷貝車

蟹《かに》

家紋に描かれるのは、主に海産のガザミ種、川産のサワガニ種。ハサミを刀、甲羅を鎧に見立て、尚武的意義で武家が用いた。

主な使用家

寺沢氏
屋代氏
可児氏
近藤氏

蟹

糸輪に蟹

踊り蟹

海蟹

丸に平家蟹

蟹菱

亀《かめ》

甲羅に藻がびっしり生えた老熟個体のイシガメを蓑亀(みのがめ)という。中国ではこれを霊亀として神格化して崇拝した。

主な使用家

奥山氏
小野氏
六角氏
森氏

丸に登り亀

蓬来亀

丸に亀の丸

真向き亀

二つ追い亀の丸

水に二つ亀

三つ亀の丸

一筆亀

子持亀の丸

壽文字亀

蓑亀の丸

光琳亀

烏・鴉

からす

熊野権現の使いである三本足の八咫烏(やたがらす)は熊野神社の神紋。神武天皇の東征の際に熊野国から大和国へと導いたといわれる。

主な使用家

熊野氏
鈴木氏
雑賀氏
宇井氏

烏

上下対い烏

熊野烏

熊野三羽烏

八咫烏

八咫烏

雁金

かりがね

戦国武将の柴田勝家が用いたことで有名(二つ雁金紋)。真田氏も、六連銭紋(188頁)以前は雁金紋を用いていた。

主な使用家

阿部氏
大西氏
小串氏
井上氏

雁金

対い嘴合い雁金

陰雁金

尻合わせ三つ雁金

石持地抜雁金

陰尻合わせ三つ雁金

剣尻雁金

中輪に三つ頭合わせ雁金

中輪に二つ雁金

中輪に三つ口合わせ雁金

違い雁金

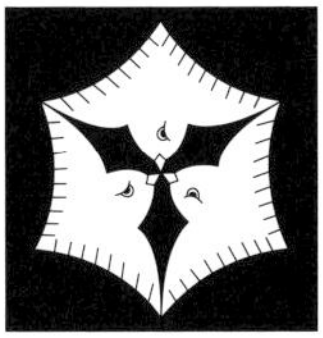
変わり三つ雁金

三羽飛び雁

奴形雁金

頭合わせ三つ結び雁金

結び雁金

五つ雁金車

薄輪に飛び雁

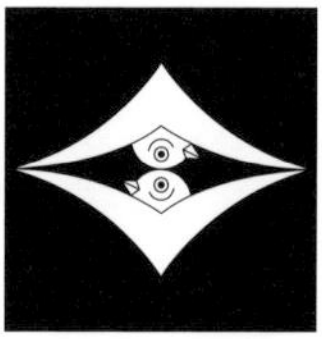
上下対い雁金菱

尻合わせ三つ結び雁金

丸に結び雁金

八つ雁金車

月に雁金

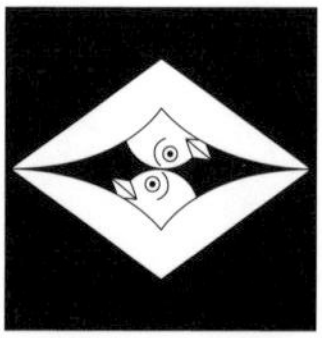
変わり上下対い雁金菱

尻合わせ四つ重ね結び雁金

陰結び雁金

尻合わせ四つ雁金菱

増山家雁金

菱に覗き雁金

四つ結び雁金に違い鷹の羽

石持地抜結び雁金

三つ寄せ上下対い雁金菱

花房家雁金

飛び雁

輪違い雁金

尻合わせ二つ結び雁金

三つ斜め雁金

小串家雁金

二羽飛び雁

金輪雁金

中輪に二つ頭合わせ結び雁金

三つ盛雁金

鹿《しか》・鹿角《かづの》

鹿角は刀掛けなどに使用されたことから、尚武的意義で家紋として用いられた。なお、鹿紋はほとんど見られない。

主な使用家

近藤氏
賀茂氏
蔭山氏
春日氏

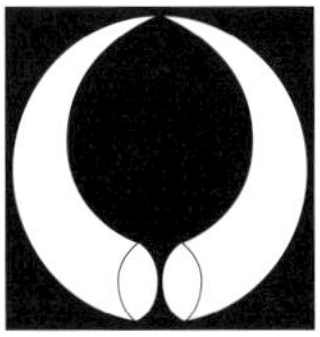
抱袋角

変わり割角

三つ又抱角

鹿に楓

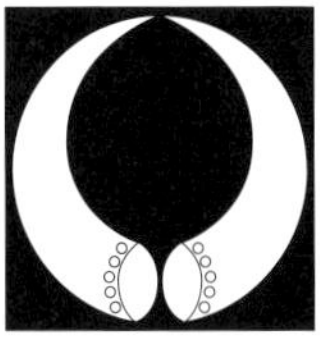
抱袋角

三つ割角

三つ又違い角

楓に鹿

丸に違い袋角

抱角に五三桐

細抱角

夫婦鹿

六つ袋角

抱角に一つ楓

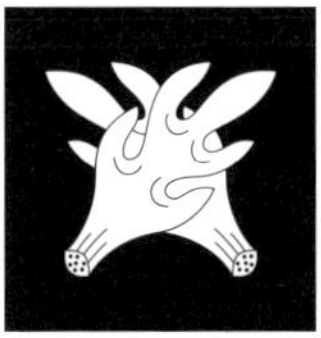
違い角

抱角

三つ追い袋角に三つ石

外割角に蔦

糸輪に覗き抱角

丸に抱角

近藤家抱角

三つ追い角に揚羽蝶

割角

陰抱角

雀《すずめ》

突然変異の白雀は、神の使いとして古来より尊ばれてきた瑞鳥。家紋としては、雀単体よりも竹や笹と組み合わせたものが多い。

主な使用家

中城氏
山崎氏
坪田氏
杉井氏

重ね膨雀

雪輪に雛雀

飛び三羽雀

雀の丸

上下対い膨雀菱

雲菱に雀

丸に立て一つ引対い雀

丸に飛び雀

二羽膨雀菱

膨雀

雪輪に上下対い雀菱

上下対い雀

雪輪に膨雀菱

尻合わせ三つ膨雀

雪輪に対い雀

三羽雀

鐶菱に膨雀

尻合わせ三つ膨雀

雪輪に対い雀

六角形三羽菱

変わり雀

中陰三つ膨雀

外雪輪に対い雀

飛び三羽雀

鷹の羽《たかのは》・鷹《たか》

鷹の羽は和弓の矢に用いられる矢羽の材料。古くから武家の象徴とされ、尚武的意義から家紋に採用された。

主な使用家

浅野氏
菊池氏
後藤氏
阿蘇氏

五つ並び鷹の羽

糸輪に豆鷹の羽

違い鷹の羽

鷹の羽組井桁

反り違い鷹の羽

丸に違い鷹の羽

丸に三つ鷹の羽

三つ違い鷹の羽

陰違い鷹の羽

丸に五つ鷹の羽

太丸に一つ鷹の羽

石持地抜違い鷹の羽

六つ鷹の羽

丸に並び鷹の羽

丸に中陰違い鷹の羽

丸に八本鷹の羽

三つ並び鷹の羽

丸に細違い鷹の羽

丸形真向き飛び雀

丸形横見飛び雀

雀

坊城家雀

清閑寺雀

近江阪本西教寺

一つ引に違い鷹の羽

並び鷹の羽に割鷹の羽

丸に変わり割鷹の羽

一つ折り鷹の羽の丸

中輪に覗き鷹の羽車

二つ引に抱鷹の羽

糸輪に斑入り違い鷹の羽

割違い鷹の羽

折れ鷹の羽

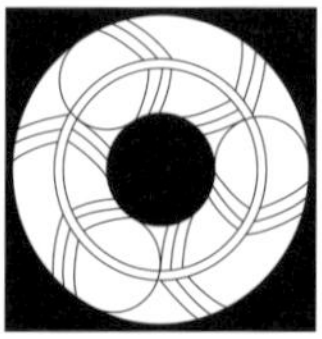
鷹の羽蛇の目

違い鷹の羽に一つ巴

揚羽鷹の羽蝶

割折れ鷹の羽菱

二つ折れ鷹の羽

五つ鷹の羽丸に桔梗

団扇に違い鷹の羽

浮線鷹の羽

割鷹の羽

三つ折れ鷹の羽丸

抱鷹の羽

月輪に総覗き違い鷹の羽

割浮線鷹の羽

外割鷹の羽に橘

三つ反り鷹の羽

抱鷹の羽に釘抜

月に折り鷹の羽

鷹の羽扇

割六つ鷹の羽車

剣三つ折れ鷹の羽

一つ鷹の羽巴

丸に千鳥

陰三つ千鳥

浪輪に陰千鳥

四つ千鳥菱

五つ千鳥

観世家千鳥

千鳥《ちどり》

千鳥は水辺にいる小型の鳥の総称。俳句の冬の季語として知られる。たくさん(千)の鳥の意や、鳴き声(チ)に由来するともいわれる。

主な使用家

堀越氏
山川氏
生田目氏
安形氏

対い鷹

柳井家違い鷹の羽

浅野家鷹の羽

中輪に飛び鷹

中村家違い鷹の羽

阿部家鷹の羽

鷹匠

井上家鷹の羽

阿部家違い鷹の羽

使い鷹

豊前英彦山神社

高木家鷹の羽

架に鷹

鷹の丸

久世家鷹の羽

柏に鷹

鷹の丸

白川家鷹の羽

蝶《ちょう》

蝶は平氏の紋として有名。平家滅亡後はその末裔と称する一族に受け継がれた。羽を上げた状態の揚羽蝶、羽を臥せた状態の臥蝶が多い。

主な使用家

関氏
池田氏
西田氏
河内氏

上下対い蝶菱

糸輪に覗き揚羽蝶

抱揚羽蝶

揚羽蝶

上下対い蝶

蝶車

三つ寄せ揚羽蝶

陰揚羽蝶

三つ蝶

浮線蝶（臥蝶）

三つ追い揚羽蝶

石持地抜揚羽蝶

浮線蝶に花菱

陰浮線蝶

三つ割揚羽蝶

対い揚羽蝶

月形浮線蝶

中陰浮線蝶

揚羽蝶の丸

陰対い揚羽蝶

月星浮線蝶

対い蝶

真向き揚羽蝶

細中陰対い揚羽蝶

変わり胡蝶

変わり対い揚羽蝶

変わり鎧蝶

天人蝶

浮線蝶菱

三つ胡蝶に鬼菊

変わり飛び蝶

鎧揚羽蝶

源氏蝶

変わり浮線蝶

反り胡蝶

飛び蝶

光琳揚羽蝶

変わり源氏蝶

変わり三つ蝶

三つ反り胡蝶

二つ飛び胡蝶

中陰光琳揚羽蝶

変わり源氏蝶

対い蝶に三つ巴

反り飛び蝶

三つ飛び蝶

光琳蝶

変わり対い蝶

三つ蝶に木瓜

雄蝶花形

胡蝶

光琳胡蝶

対い鎧蝶

三つ浮線蝶巴

鶴

つる

「鶴は千年、亀は万年」というように、長寿を表わす瑞祥(めでたいもの)。雌雄二羽の鶴が描かれると、夫婦和合や子孫繁栄を意味する。

主な使用家

蒲生氏
森氏
日野氏
南部氏

鶴の丸

丸に鶴の丸

陰鶴の丸

石持地抜鶴の丸

変わり鶴の丸

舞鶴

池田家対い蝶

織田家揚羽蝶

雌蝶花形

池田家三つ蝶

谷家蝶

結び蝶花形

北条家対い蝶

保倉家蝶

三つ蝶花形

建部家蝶

因幡蝶

変わり三つ蝶花形

伊豆吉田家蝶

池田家備前蝶

蔓結び蝶

松平大覚頭蝶

池田家対い蝶

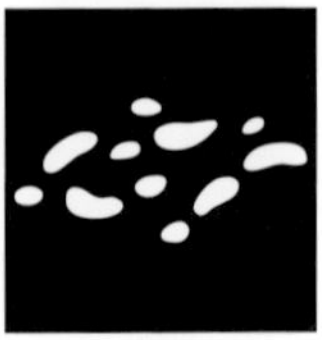
蝶星

真向き光琳鶴

光琳飛び鶴

光琳鶴の丸

上下対い鶴菱

飛び鶴の丸

折り鶴

光琳鶴蔦

中陰光琳鶴の丸

飛び鶴

対い鶴

上下対い折り鶴菱

桔梗形光琳鶴

光琳亀甲鶴

飛び舞鶴

喰い合い対い鶴

三つ寄せ折り鶴

光琳三つ金輪鶴

丸に光琳作り鶴

長文字鶴

対い鶴に若松

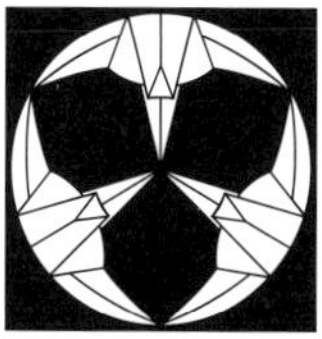
三つ折り鶴の丸

鱗鶴

光琳三羽鶴

丸に飛び鶴

上下対い鶴

有織鶴

対い白鶴

上下対い光琳鶴菱

子持亀甲に立ち鶴

三羽鶴

鶴亀

南部家対い鶴

諏訪家鶴

森家鶴の丸

佐伯家鶴

寶慈院鶴の丸

鳩《はと》

軍神・八幡神の使者とされる鳩は武家に好まれ、尚武的意義で家紋としても用いられた。対い鳩は「八」の字を表わしている。

主な使用家

熊谷氏
高力氏
根岸氏
足助氏

対い鳩に三つ石

親子鳩

鳩

鳩に三十万文字

孔雀鳩

対い鳩

八幡鳩

鳩の丸

対い鳩

鳩居堂鳩

舞対い鳩

対い鳩

小島家対い鳩

丸に杖鳩

親子八文字鳩

熊谷直実鳩

朽ち木に飛び鳩

対い飛び鳩

鳳凰《ほうおう》

鳳凰は中国の伝説の鳥で、瑞祥の代表格。帝の象徴であり、桐とともに描かれると、最も高貴な文様となる。

主な使用家

波多野氏
近藤氏
関氏
川勝氏

鳳凰の丸

鳳凰に変わり桐

飛び鳳凰の丸

有職鳳凰

飛び鳳凰の丸

石持地抜有職鳳凰

飛び鳳凰の丸

鳳凰に立て二つ引

桐に鳳凰

大和法隆寺

乱れ桐に鳳凰

大阪大鳥神社

百足《むかで》

百足は軍神・毘沙門天の使いとされる。「後ろに下がらない」ため、武家に好まれた。商家では「客足が多い」縁起物として扱われた。

主な使用家

大蔵氏
河内氏
本橋氏
栗津氏

左向き百足の丸

左向き百足の丸

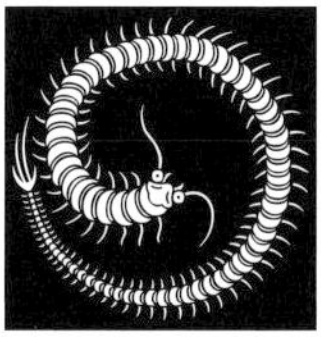
右向き百足の丸

石持地抜百足の丸

対い百足の丸

親子百足丸

隅立て雨龍

丸に龍剣に一文字

日蓮宗龍の丸

真向き龍の丸

左雨龍菱

左雨龍

龍剣の丸

龍の丸

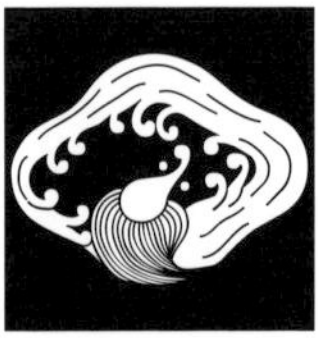
右雨龍菱

右雨龍

龍の鱗

左龍の丸

松川雨龍

入れ違い雨龍

龍の爪

右龍の丸

京都天龍寺

三つ雨龍

玉持龍の爪

下り龍の丸

京都南禅寺

平角雨龍

違い龍の爪

天龍の丸

龍《りゅう》

家紋に描かれるのは、最上級の龍と最下級の璃龍(雨龍)である。璃龍は古くから身近な水神としてもてはやされた。

主な使用家

緒方氏
三田井氏
坂上氏
立見氏

その他

魚紋は家紋には用いられないが図案として見られる。稀少な鳥紋としては尾長鳥、鴛鴦、孔雀、鷺、燕、鶏、時鳥、水鳥、鷲などの紋がある。

小島駿河入道番い鴛鴦

二匹玉取獅子の丸

蝙蝠桐

丸に猪

対い鴛鴦の丸

細輪に鯱

鯉の丸

麒麟

伊達家鴛鴦

蝉

鯉水

丸に蝙蝠

孔雀

尾長鳥

登り鯉

光琳蝙蝠

中輪に飛鷺

尾長鳥丸

鯛の丸

月に蝙蝠

大阪座摩神社

尾長鳥丸

丸に鯛の鯛

蝙蝠柏

糸輪に水鳥

飛び燕

鷲尾家対い鷲

丸に対い燕

丸に対い蜻蛉

鶏

交わい蜻蛉

鶏の丸

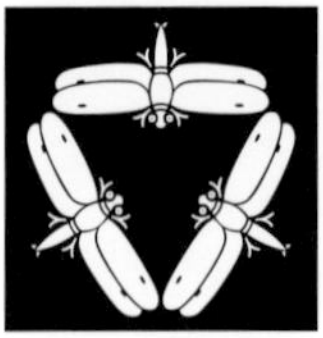
三つ蜻蛉

入れ違い鶏の丸

蜻蛉の丸

月に時鳥

第4章 器材紋

日常生活で用いられる神仏具、武具、家具、工具、玩具、楽器などを象った紋章である。

主な器材紋と特徴

家紋の需要が増えたのは、敵味方の区別が必要だった戦国時代である。そのためか、戦や合戦を連想させるものが少なくない。

矢紋（207頁）は「矢羽根」を象ったものが多い。矢羽根には主に「鷹の羽」を用いるため、**鷹の羽紋**（139頁）と混合されることがある。

蛇の目（弦巻）紋（184頁）は、加藤清正の替紋として有名だ。清正は弦巻紋や**桔梗紋**（63頁）のほかにも**墨紋**（214頁）の「折墨」を用いたが、これは文様のようなものだろう。

他にも、**剣紋**（179頁）や**兜紋**（167頁）、**鍬形紋**（179頁）など、武器をモチーフにしたものは多い。少ないながら、**鋏具《かこ》紋**（213頁）、**菖蒲革紋**（214頁）、なども見られる。

馬具をモチーフとした**杏葉紋**（172頁）、**轡紋**（175頁）や、戦場の目印とした**四半幟紋**、本陣の周囲に張り巡らす**陣幕紋**（ともに214頁）もあった。

家紋は神道や仏教などの宗教のしきたりや教えから用いられることも、もちろん多い。

たとえば、**幣紋・鈴紋・瓶子紋・結綿紋**（200頁・185頁・200頁・210頁）などは、神具を象ったものだ。**熨斗紋**（193頁）の熨斗は本来、「熨斗鮑」といわれ、江戸期の紋帖では「貝」と一緒に並んでいる。

鏡紋（163頁）は「八咫鏡」（神鏡）を象ったものといわれるが、「日」を象ったものとも考えられる。しかし、使用諸氏（望月氏）から「餅」の字を当てたと思われ、本来は**月紋**（27頁）だった可能性が高い。

折敷紋（162頁）は**角紋**（236頁）の「隅切角」と同じ形だが、その区別は姓氏で判断するほかない。隅切角に三文字や三つ引などが入っているものの多くはこの折敷紋である。

仏具を象ったものとしては、**輪宝紋**（211頁）や、

宝珠紋（203頁）、**半鐘紋**（196頁）、**打板《ちょうばん》紋**（190頁）などがある。

金輪紋（166頁）は、三つ以上の細い輪が組み合わされていることから、法具の錫に付けて音を鳴らし、厄を除ける遊鐶《ゆうかん》という説が濃厚である。

久留子紋（176頁）は「十字架」を象ったもの。禁教令から、**轡紋**（175頁）や**桛《かせ》紋**（166頁）などに取り入れ、意識的に用いられてきた。立花宗茂が用いたことで有名な**祇園守紋**（170頁）も、クルスに見立てたとされる。

神職に関わる高橋氏に多いのが**笠紋**（164頁）。この笠は「天は蓋のように世界（地上）を覆っている」という天蓋《てんがい》を示す。天笠は仏像が座る上に翳《かげ》される笠状の仏具とされ、もともとはインドの日傘だったという。

筏紋（213頁）は花筏文様を紋章化したもの。かつて死者を船（筏）に載せて流す風習（水葬）があった。苦の此岸から楽の彼岸に渡すのは筏であるという釈迦の教えがある。こうした信仰的な意義に基づき用いられたのだろう。ちなみに、筏紋はどういうわけか上下逆に描かれる。明確な答えはないが、当時の絵師の感覚なのかもしれない。

茶道具紋の**釜敷紋・五徳紋・羽箒紋**（168頁・180頁・196頁）などは、茶道に関わる氏族が用いている。

壺紋（214頁）の壺は主に茶壺や火消し壺を指す。三千家の替紋である壺紋は「つぼつぼ」と呼ばれる。元伯宗旦が、京都伏見稲荷神社の門前で売られていた直径一寸ほどの素焼きの壺型の土器（つぼつぼ）を大変気に入り、これを意匠化したといわれる。三千家のそれぞれで配置角度が異なるようだ。紋帖では「細輪に瑞瓶」（215頁）は「瓶子」に載る。

団子紋（189頁）には次のような逸話がある。織田信長と今川義元が合戦の折、陣中で酒宴の最中、信長が山内幸政に団子を三つ串刺しにして、「敵の首をこのようにして獲ってみよ」と賜った。幸政はこれを頂き、功名を挙げて以後、「串団子」を家紋とした。

一方で、こんな話もある。豊臣秀吉が聚楽第完成の折に北野天満宮で盛儀を行ない、上七軒（京都の花街）の茶屋が多大な協力をした結果、褒美としてみたらし団子を売る特権を与えられ、「五つ団子」を用いるようになったというもの。現在でも、上七軒のほか、祇園（甲部）や祇園東（乙部）では団結の意味で用いられている。

釘抜紋（174頁）は、正方形に穴を空けた形の紋をベースに、梃《てこ》と組み合わせたものが多い。「これのどこが釘抜なのか?」と疑問に思うだろう。定説では、大釘を抜くために、穴部分に釘の頭を入れ、梃を通し、万力として使ったとされる。つまり、釘を抜く際の座金、「釘抜座紋」だったといわれる。

一方で、「九城《くき》を抜く」（九つの城を落とす）から、尚武的意義として家紋になったともいわれる。ただし、これは後付けだろう。かつて関所は「釘貫」と呼ばれた。このため、「門を抜《かんぬき》く」→「城門を開ける」につながったと思われる。

「釘貫」は「柱や杭を立て並べて、横に貫《ぬき》を渡しただけの柵」という意味もある。これは主に墳墓の周りに立てるもの。つまり、釘貫は現世と常世を隔てる、明確な区切りを示すものといえる。

赤鳥紋（213頁）は**馬櫛紋**のことである。今川氏がこれを馬標や替紋に用いたのは富士浅間宮の神託による。馬櫛は馬の垢を取る道具だが、通説では「垢取り」という櫛の歯の汚れを取る女性の化粧道具とされる。また、女性が馬に乗るとき、馬の汗で衣服が汚れるのを防ぐために、尻繋《しりがい》（鞦）の下に布を掛けたが、この「明衣《あかはとり》」がそうだともいわれる。

赤鳥について書かれた文献は少なく、いくつかの伝承で見えてくるのは、それが布製のものであるということ。馬標に用いられた馬櫛紋と混合された可能性が高い。

錨《いかり》

「力強くつなぎ止める」という意味から、家紋になったのだろう。碇姓の使用も見られる。

主な使用家

伊丹氏
三谷氏
矢野氏
秋山氏

網付錨

錨

錨丸

細輪に錨

一つ網錨

汽船錨

二つ錨

丸に汽船錨

三つ錨

海軍錨

三つ錨丸

丸に軍艦錨

網《あみ》

網紋は網目紋と網干紋の二つに分けられる。漁網（網干は網を干した様子）を象った文様から転化したものである。

主な使用家

菅井氏
菅谷氏
安田氏
網干氏

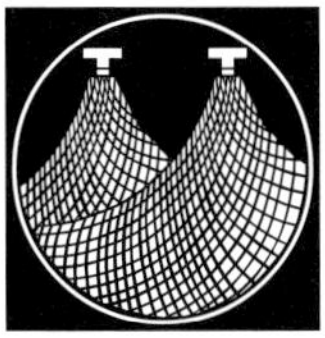
糸輪に二つ干網

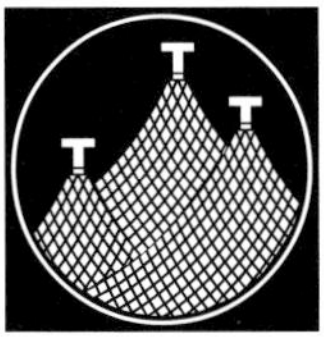
糸輪に三つ干網

丸に二つ干網

三つ網目

四つ網

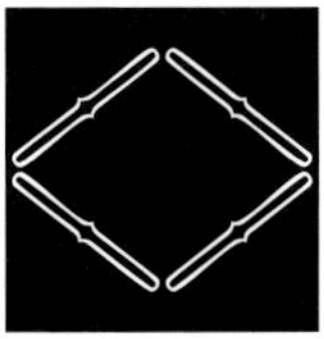
四つ網目菱

三つ網付錨

団扇錨

四つ錨

錨桐

割錨

錨片喰

三つ割錨

錨桜

子持二つ錨

浮線錨

丸に錨崩し

変わり浮線錨

糸巻《いとまき》

糸巻紋は主に着物にあしらわれる。糸を巻いていない紋は七宝紋（247頁）と酷似する。文様は『源氏物語』にも見られる。

主な使用家

津田氏
津下氏
小藤氏
古藤氏

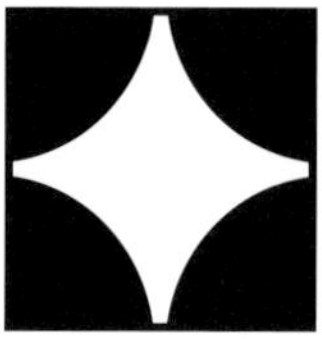
一つ糸巻

六つ追い重ね糸巻

重ね糸巻

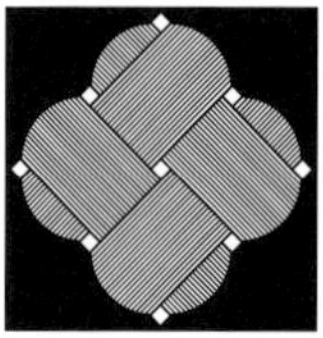
糸巻

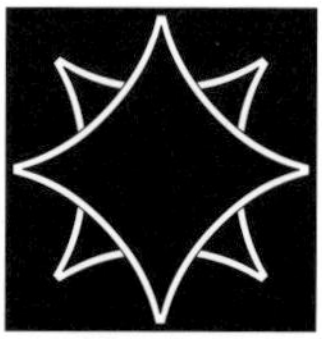
陰重ね糸巻

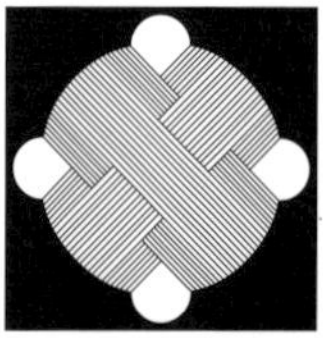
六つ組糸巻

三重子糸巻

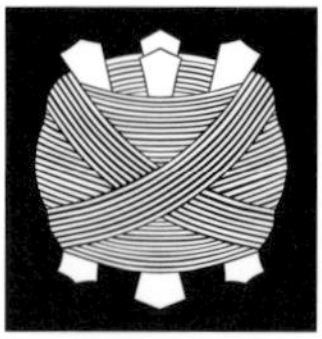
枠糸巻

三盛糸巻

違い枠糸巻

五つ追い重ね糸巻

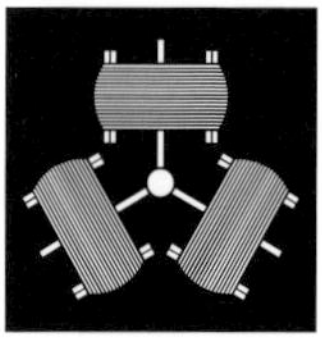
三つ枠糸巻

団扇《うちわ》・羽団扇《はうちわ》 唐団扇《とううちわ》

家紋に用いられるのは、円形の一般的な団扇、棕櫚の葉でつくった羽団扇（諸葛亮孔明が愛用）、別名を「軍配団扇」という唐団扇の三つ。

主な使用家

矢島氏 筒井氏 児玉氏 鳥居氏

割唐団扇

唐団扇

羽団扇

糸輪に一つ団扇

三つ割房付唐団扇

太輪に唐団扇

変わり羽団扇

違い団扇

丸に中陰三つ割唐団扇

丸に並び唐団扇

入れ違い割羽団扇

三つ団扇

房丸唐団扇

中陰唐団扇

三つ割羽団扇

団扇桐

唐団扇笹

三つ唐団扇

浮線羽団扇

団扇梅

中陰唐団扇に蔦

剣三つ唐団扇

米津家羽団扇

房付団扇

軍配唐団扇

奥平家団扇

桑名家団扇

中津家団扇

松平家唐団扇

内藤家唐団扇

烏帽子《えぼし》

公家が多用した立烏帽子は、現在では神官が用いている。武家や庶民が用いた折烏帽子は、江戸の頃に「侍烏帽子」と呼ばれた。

主な使用家

北氏
福守氏
村上氏
此企氏

立て烏帽子

公家烏帽子

大将烏帽子

三位烏帽子

武家烏帽子

二つ追い家烏帽子

扇《おうぎ》・骨扇《ほねおうぎ》 地紙《ちがみ》・檜扇《ひおうぎ》

「煽（あふ）ぐ」を語源とする扇紋には扇、骨扇、地紙、檜扇があり、それぞれ区別される。その意義や使用諸氏も異なる。

主な使用家

佐竹氏
山方氏
笠木氏
十河氏

五本骨扇

丸に五本骨扇

総陰丸に扇

石持地抜扇

横重ね扇

三つ盛扇

破れ扇

三本組扇

違い扇

日の丸扇

三つ扇

扇に桜

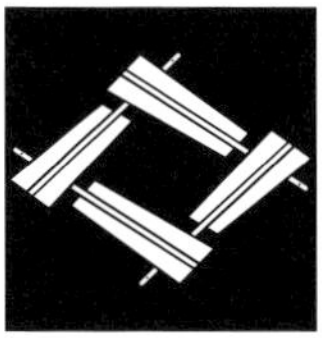
扇井桁

丸に違い扇

雪輪に三つ日の丸扇

丸に三つ扇

扇に地抜釘抜

五本束ね扇

丸に並び扇

三つ日の丸扇崩し

丸に七本骨三つ扇

七本骨雁木扇

中開き三本扇

中輪に三本並び扇

反り扇

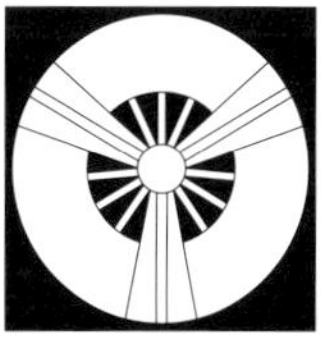
六つ扇

十本骨雁木扇

八本扇車

糸輪に尻合わせ三本扇

三つ反り扇

梅鉢扇

折り目雁木扇

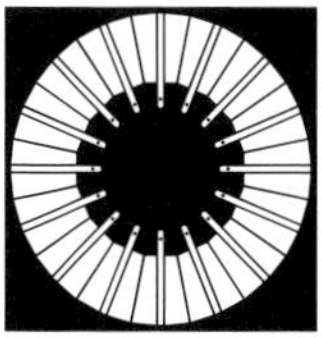
扇輪

三本重ね扇

丸に三本骨扇

五つ捻じ扇

立花家扇

扇落とし

揚羽扇蝶

雁木反り扇

二つ雁木扇の丸

立花家陰扇

抱扇に向こう梅

変わり揚羽扇蝶

扇菱

三つ割雁木扇

丸に三本扇の骨

島原家扇

扇蝶花形

半開き違い扇

重ね合わせ三つ雁木扇

五本扇の骨

浅野家扇

扇胡蝶

細輪に三つ組半開き扇

九本骨三つ雁木扇

中輪に七本扇の骨

高崎家扇

浮線扇

五つ末広

五つ雁木扇

十本扇の骨

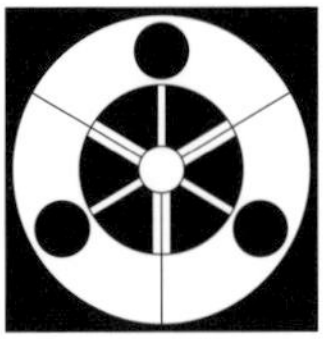
渡辺家扇

変わり浮線扇

五つ重ね末広

五つ雁木扇車

浮線檜扇

檜扇

地紙に地抜三つ巴

三つ地紙

丸に地紙

揚羽檜扇蝶

丸に檜扇

陰地紙に桔梗

陰三つ地紙

丸に中陰地紙

房付閉じ檜扇

陰檜扇

三つ地紙に釘抜

頭合わせ三つ地紙
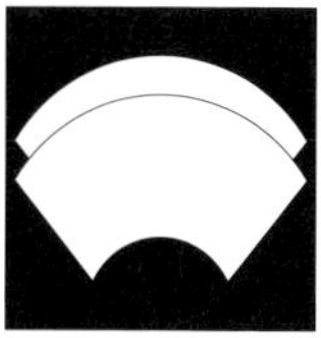
重ね地紙

丹波家檜扇

片房付三つ檜扇

三つ地紙に地抜洲浜
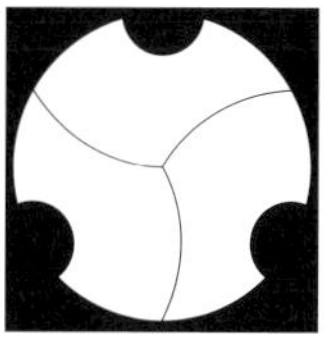
三つ捻じ地紙

陰陽重ね地紙

山崎家檜扇

三つ盛雁木檜扇
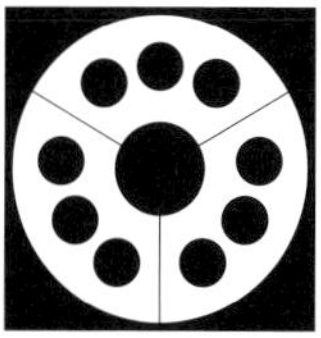
三つ地抜並び三つ星地紙

陰捻じ地紙

糸輪に陰陽上重ね地紙

秋田家檜扇

房丸檜扇

隅切角に三つ日の丸地紙
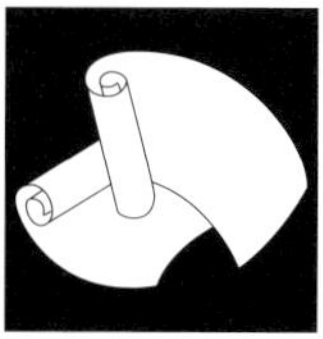
巻き地紙

三つ重ね地紙

折敷《おしき》・折敷に三文字《おしきにさんもじ》

折敷は盆の一種で、食膳として用いる。伊与国大三島の三島神社総本社・大山祇神社（おおやまづみじんじゃ）の神紋として有名。

主な使用家

越智氏　河野氏　稲葉氏　大祝氏

隅立て折敷

隅立て折敷

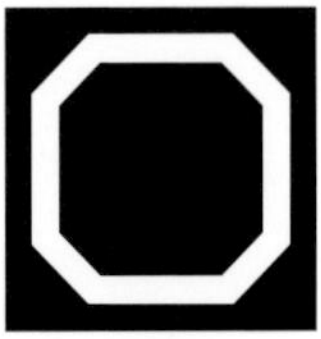
平折敷

傍折敷

折敷に三文字

折敷に角三文字

折敷に角三文字

折敷に雁木三文字

折敷に揺り三文字

傍折敷に三文字

反り折敷に三文字

伊豆三島神社

櫂《かい》

櫂は船を漕ぐ「オール」のことである。海に関連した氏族に用いられる。

主な使用家

千種氏　菅井氏　山本氏

丸に違い櫂

三つ違い櫂

丸に三つ違い櫂

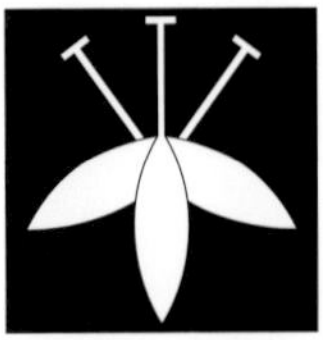
三つ重ね櫂

丸に三つ重ね櫂

三本並び櫂

変わり三本並び櫂

三つ組櫂

三つ追い重ね櫂

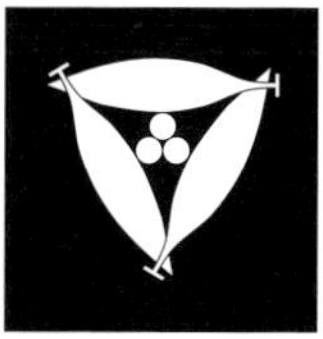

三つ重ね櫂に三つ星

櫂井桁

菱に違い櫂に十字

鏡《かがみ》

三種神器の一つ、「八咫鏡」のことを指す。神道では御鏡に日の光を反射させ、太陽の象徴としてご神体としている。

主な使用家

贄氏
芳村氏
譜山氏
大賀氏

丸に御鏡

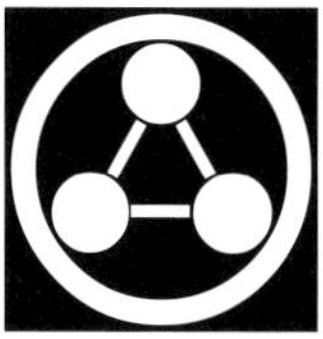

丸に三つ鏡

神鏡

御鏡に杉

三種神器

御鏡

鍵《かぎ》

近代に入る前まで、鍵は庶民に必要のないものだった。蔵を持つ富裕層のみが鍵を必要とした。鍵は蓄財の象徴だった。

主な使用家

土肥氏
川村氏
蔭山氏
左近氏

鍵

丸に房付鍵

糸輪に違い鍵

丸に瓢箪鍵

二つ鍵菱

鍵桐

笠《かさ》

「笠」は竹を立てると書く。神は天より降臨するとして、竹などを立てて迎えた。柳生氏の紋としても有名。

主な使用家

天羽氏
高橋氏
柳生氏
建部氏

丸に足軽笠

中輪に房付笠

三つ笠

笠

花笠

房付二階笠

三つ参道笠

丸に笠

深被り笠

糸輪に房付二階笠

三つ変わり笠

雪輪に笠

網笠

中輪に房付二階笠

三つ菅笠

糸輪に二階笠

唐人笠

房付変わり陣笠

頭合わせ三つ笠

三階笠

神宮笠

丸に陣笠

三つ陣笠

対い笠

深網笠

糸輪に網笠

糸輪に狩場笠

五つ市女笠

建部家笠

柳生家笠

傘《かさ》

傘は欽明天皇時代に渡来したといわれ、江戸の頃に普及した。当初は日傘として用いられた。蛇の目傘は元禄の頃に現われた。

主な使用家

名越氏
牟久氏
曲瀬氏
岩瀬氏

丸に三本並び傘

丸に三つ組傘

三本開き傘

糸輪に中開き傘

糸輪に蛇目傘

花傘

舵《かじ》

「舵をとる」が派生して、人を導くという意味で用いられた。梶紋（56頁）を使用する諸氏と関係が深い。

主な使用家

藤掛氏
堀氏
牛尾氏

丸に一つ舵

三日月輪に一つ舵

丸に違い舵

三つ舵

糸輪に三つ舵

八角地抜き二つ舵

桛《かせ》・桛木《かせぎ》

桛は紡いだ糸を巻き取る道具。H形やX形をしていることから、隠れキリシタンが十字架に見立てて使用した。

主な使用家

内田氏
岩間氏

桛

桛

角桛

丸に丸桛

丸桛

中川家久留子

金輪《かなわ》

金輪紋の輪は、輪違い紋（260頁）の輪より細く描かれる。釜敷紋（168頁）と酷似しているため、混同されやすい。

主な使用家

児島氏
籠崎氏
富居氏
副島氏

違い金輪

細輪に違い金輪

三つ繋ぎ金輪

三つ金輪

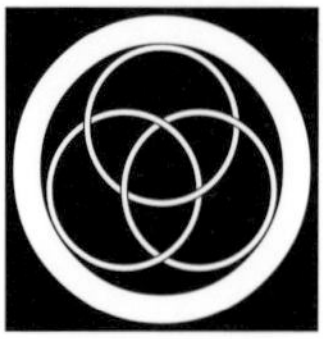
丸に細三つ金輪

四つ金輪

組合わせ四つ金輪

五つ金輪

五つ金輪

六つ組金輪

六つ金輪崩し

細輪に十曜金輪

毛輪に十曜金輪

花形金輪

細輪に金輪結柏

糸輪に金輪結柏

糸輪に三つ割金輪

守山家金輪

兜《かぶと》

兜を写実的に描いた風変わりな紋。武家のあいだで尚武的意義や記念的意義から用いられたのだろう。

主な使用家

広瀬氏
安部氏
小坂氏
小松氏

二面兜

梅兜

鋏形兜

八幡宮兜

立て烏帽子兜

真向き兜

後向き兜

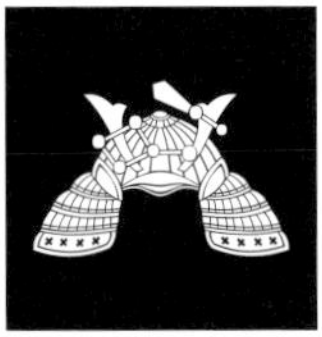

破軍星立て兜

日月兜

鳥兜

飛龍兜

芋柏立て兜

鳥形兜

蝶兜

剣兜

変わり鳥兜

鬼兜

巴兜

諏訪家兜

島津家兜

西郷家兜

北条家兜

加藤家兜

関ヶ原家康兜

鎌《かま》

諏訪神社では古くから鎌をご神体として祀る。歌舞伎役者の七代目市川団十郎が、舞台で「鎌輪ぬ」文様の衣装を着て以降、広く流行した。

主な使用家

坪内氏
深津氏
川井氏
熊田原氏

一つ鎌

丸に違い鎌

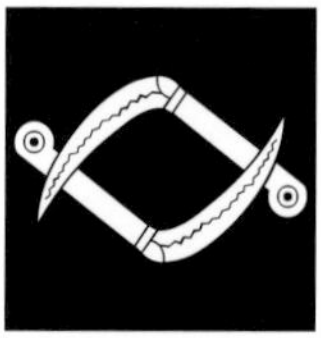
入れ違い鎌

三つ鎌

四つ鎌

六つ鎌車

釜敷《かましき》

釜・鍋・鉄瓶などを置く際に下に敷くものを釜敷という。金輪紋に酷似しているため、混同されることも多い。

主な使用家

今井氏
広瀬氏
町田氏
鏑木氏

釜敷梅鉢

変わり釜敷梅鉢

桔梗釜敷

釜敷桜

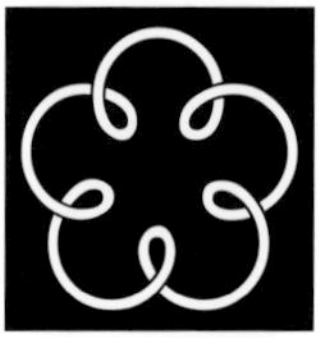
五つ結び釜敷

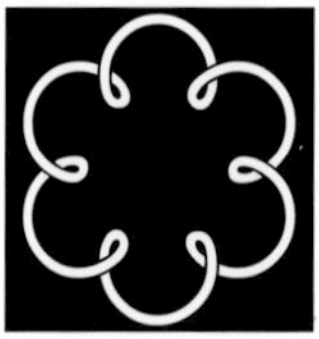
六つ結び釜敷

鐶《かん》

鐶は箪笥や机などの引き出しに付く取っ手のこと。窠（瓜）紋（233頁）の一部を抜き出した文様であるともいわれる。

主な使用家

光富氏
本原氏
谷氏
大谷氏

外四つ鐶

三つ組鐶

外鐶菱に九枚笹

外三つ鐶

外四つ鐶に釘抜

繋ぎ三つ組鐶

鐶木瓜

三つ唐鐶

鐶木瓜に花菱

三つ唐鐶に三つ剣

唐鐶木瓜

外三つ唐鐶

籠目七つ釜敷

七つ釜敷

籠目八つ釜敷

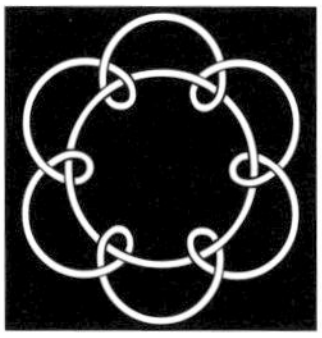
七つ結び釜敷

籠目九つ釜敷

変わり七つ釜敷

籠目釜敷に蔓蔦

釜敷九曜

花形釜敷

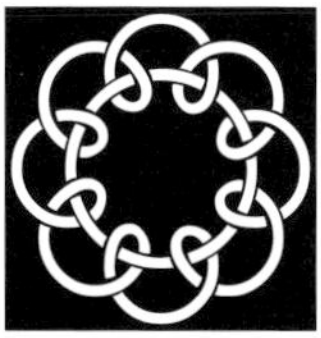
結び釜敷九曜

畳釜敷

糸輪に釜敷十曜

祇園守《ぎおんまもり》・守《まもり》

祇園社が配布するお守りを象った紋章。中央にある牛頭天王之祭文（ごずてんのうのさいもん）を十字架に見立てて、隠れキリシタンが使用した。

主な使用家

立花氏
大友氏
鍋島氏
小西氏

祇園守

陰祇園守

丸に祇園守

石持地抜祇園守

陽祇園守

堅祇園守

外六つ鐶に丸に釘抜

五つ鐶

唐鐶木瓜に花菱

外六つ鐶に槌

五つ鐶に丸に三つ鱗

尖り鐶菱

鐶松

五つ子持鐶に井筒

四つ鐶に豆四つ目

鐶雀

五つ糸鐶崩しに木文字

丸に四つ鐶に一つ巴

鐶桜

外五つ鐶

丸に四つ鐶

六条家鐶桜

外六つ鐶

隅切角に外四つ鐶

柳川守

祇園守桐

御札守丸

祇園守崩し

蔓祇園守

立花家守

守崩し

変わり二つ守

調べ祇園守

中結い祇園守

池田家守

守崩し

筒守

銀杏守

角祇園守

金子家守

守鶴

筒守菱

蔓銀杏守

平角祇園守

因州守

梅に祇園守

変わり筒守菱

祇園守

平角祇園守

鳥取守崩し

祇園守に桔梗

守桐

浮線守

扇祇園守

杵《きね》

丸に一つ杵

丸に違い杵

丸に変わり一つ杵

丸に変わり違い杵

丸に並び杵

糸輪に十字杵

三つ並び杵

四つ杵菱

丸に三つ並び杵

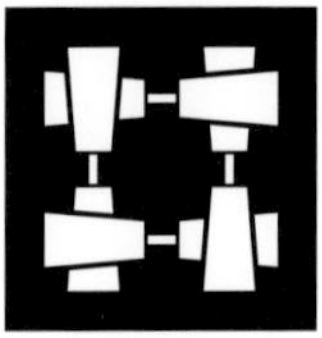
杵井筒

違い杵

月に杵

家紋に用いられるのは、棒状で端を太くした竪杵である。一般的な槌状のものは横杵と呼ばれる。長唄三味線の杵屋家が用いる。

主な使用家

折井氏
中原氏
駒木根氏
伊藤氏

杏葉《ぎょうよう》

抱杏葉

陰抱杏葉

二重輪に抱杏葉

石持地抜抱杏葉

変わり抱杏葉

三つ盛抱杏葉

杏葉は馬具の装飾具で、唐鞍（からくら）の尻繋（鞦=しりがい）につけられる。杏の葉に似るところから名づけられたようだ。茗荷紋（116頁）に酷似する。

主な使用家

摂津氏
大友氏
龍造寺氏
鍋島氏

鍋島家杏葉

丸に抱藪杏葉

三つ捻じ花杏葉

丸に違い花杏葉

丸に一つ花杏葉
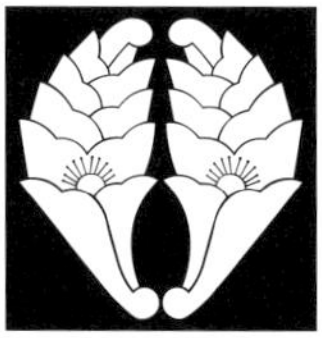
鍋島家花杏葉

丸に変わり抱藪杏葉

花杏葉車

太輪に違い花杏葉

抱花杏葉

小城家花杏葉
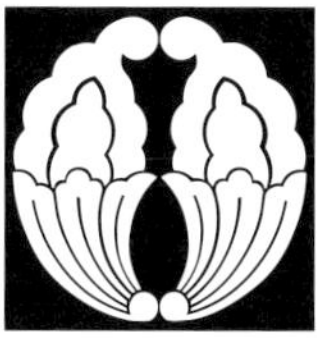
園家抱杏葉

六つ杏葉車
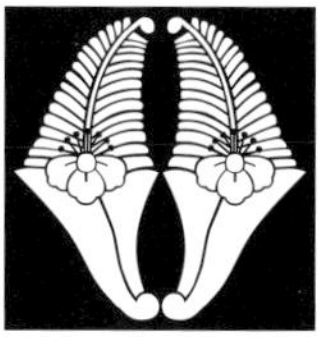
変わり抱花杏葉

陰抱花杏葉

別所家花杏葉

高野家杏葉

花菱抱杏葉

抱立ち杏葉

丸に抱花杏葉

浄土宗抱花杏葉

立花家杏葉

一文字に抱花杏葉

抱杏葉菱

隅切角に抱花杏葉

浄土宗抱花杏葉

立花家変わり花杏葉

組合角に抱花杏葉

三つ割杏葉

糸輪に変わり抱花杏葉

釘抜《くぎぬき》・釘《くぎ》

釘抜紋は「座金紋」「門紋」「釘抜紋」の三つに分けられるだろう。謎の多い紋だが、「九城（くき）を抜く」から、尚武的に用いられた。

主な使用家

佐々木氏
天野氏
岡嶋氏
三上氏

陰違い釘抜菱

丸に違い釘抜

三つ盛丸に釘抜

釘抜

釘抜崩し

糸輪に違い釘抜

隅切角に釘抜

陰釘抜

丸に三つ割釘抜

陰陽違い釘抜

重ね釘抜

丸に釘抜

丸に三つ寄せ釘抜

中輪に置き違い釘抜

丸に重ね釘抜

総陰丸に釘抜

隅合わせ三つ釘抜

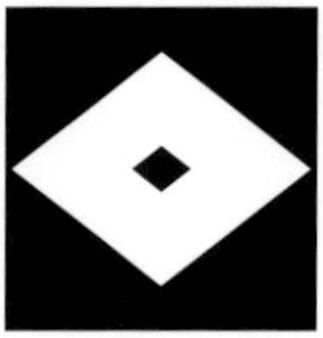
釘抜菱

違い釘抜

丸に陰釘抜

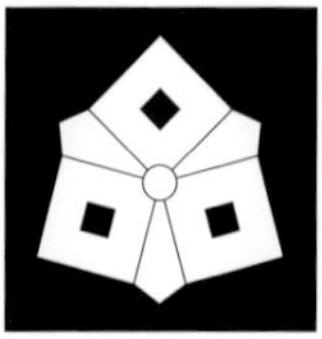
三つ剣釘抜

陰釘抜菱

陰違い釘抜

石持地抜釘抜

一柳家釘抜

丸に立て二つ引に重ね釘抜

四つ割釘抜

丸に一つ挺釘抜

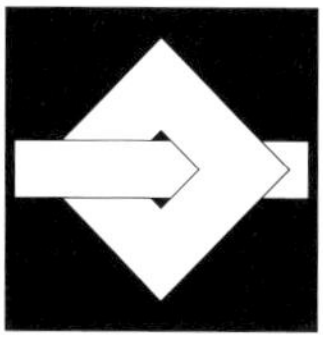

釘抜貫抜

八つ釘抜車

二つ梃違い釘抜

二つ釘抜貫抜

八つ割釘抜車

中輪に三つ梃違い釘抜

三つ釘抜貫抜

丸に反り釘抜

丸に釘

丸に梃釘抜菱

折れ釘抜

八つ釘

三つ盛釘抜に挺

五七桐挟み折れ釘抜

轡
くつわ

轡は馬の口にくわえさせる馬銜（はみ）と手綱を繋ぐ金具を指す。隠れキリシタンが十字架に見立てて使用した。

主な使用家

久世氏
大草氏
浅井氏
島崎氏

轡

丸に轡

陰轡

雪持轡

太轡

万字轡

久留子《くるす》

久留子は十字架のこと。禁教令により、キリシタンは十字架を使えなくなり、轡紋(175頁)や祇園守紋(170頁)などにも取り入れた。

主な使用家

内田氏
中川氏
池田氏
立花氏

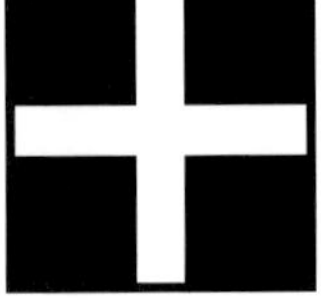
十字久留子

十字久留子

丸に十字久留子

丸に重ね十字久留子

丸に出十字久留子

丸に隅立て角に十字久留子

持合轡

陰轡菱

出轡

月輪に豆轡

三つ繋ぎ轡

花轡

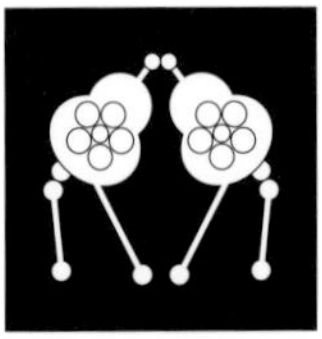
掛け轡に梅鉢

三つ捻じ轡

八角轡

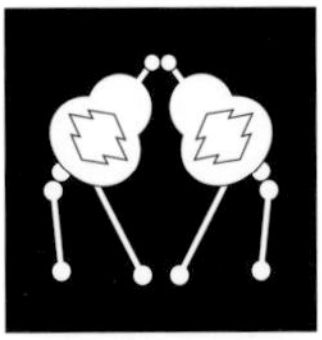
掛け轡に松皮菱

三つ重ね轡

撫平轡

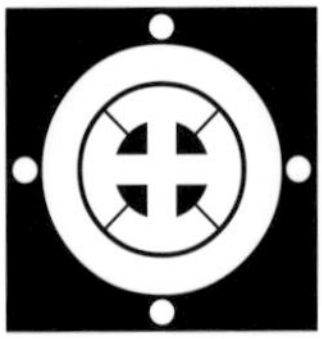
内田家轡

三つ轡菱

隅立て轡

寺阪家轡

重ね角轡

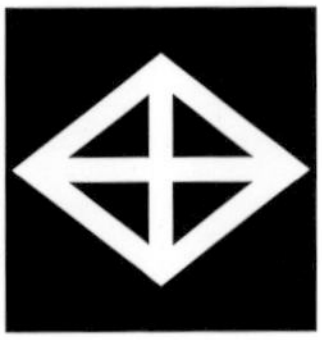
轡菱

四つ花久留子

剣久留子

三つ寄せ久留子

花久留子菱

杵輪に丸に剣久留子

切竹久留子

三つ割花久留子

花久留子

細切竹久留子

堀家久留子

花久留子菱

角形久留子

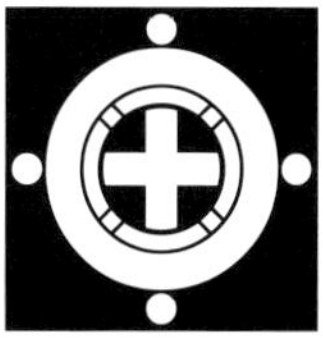

内田家久留子

花轡久留子

細輪に杵久留子

中川家久留子

三つ花久留子

隅切角に変わり杵久留子

車

くるま

平安時代に貴族の乗り物だった御所車（別名・源氏車）の車輪を文様化したもの。藤原秀郷流佐藤氏の使用紋が有名。

主な使用家

佐藤氏
榊原氏
生駒氏
三宅氏

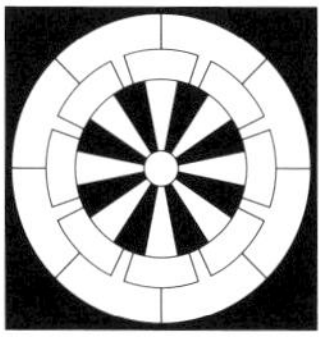

源氏車

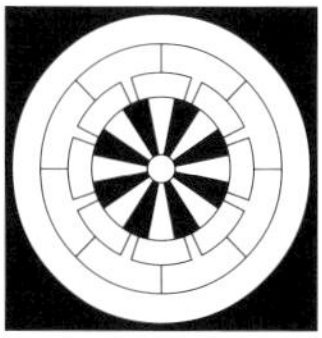

丸に源氏車

陰源氏車

六つ源氏車

七つ源氏車

九つ源氏車

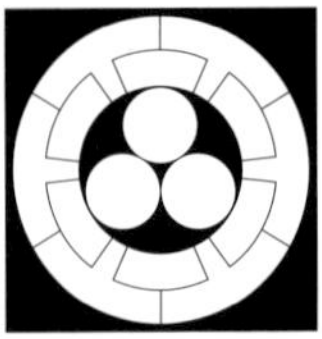
六つ源氏輪に三つ星

源氏輪に並び矢筈

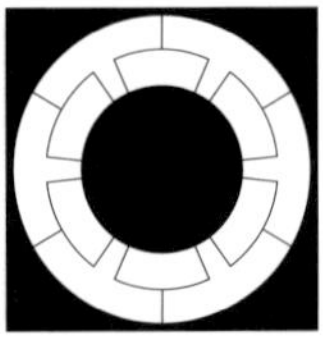
六つ源氏輪

横重ね花形車

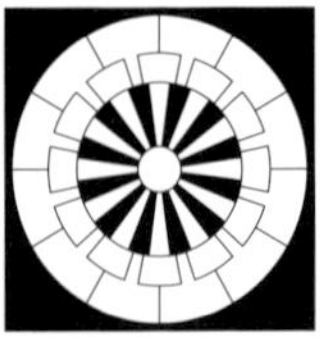
十二本源氏車

榊原家車

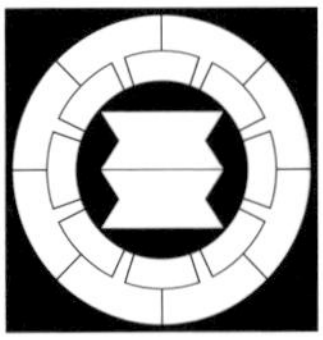
源氏輪に横矢筈

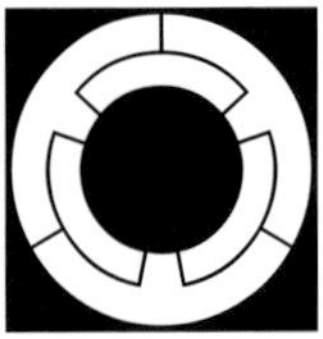
三つ車輪

重ね波切り車

変わり源氏車

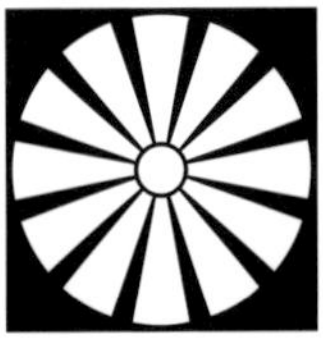
鍋島家車

源氏輪に違い鷹の羽

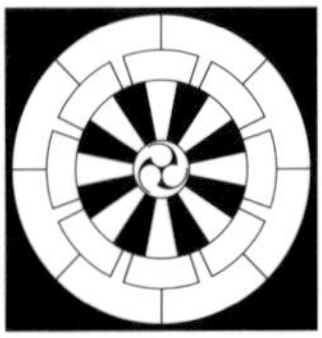
源氏車に巴

糸輪に覗き源氏車

轂付源氏車

木下家車

源氏輪に並び鷹の羽

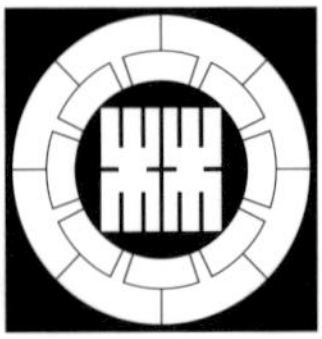
源氏輪に林の角字

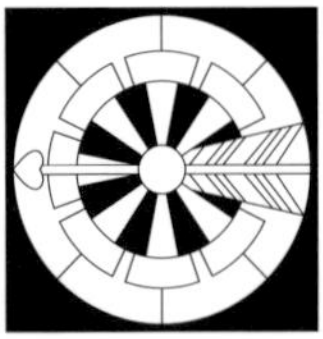
源氏車に矢

花形源氏車

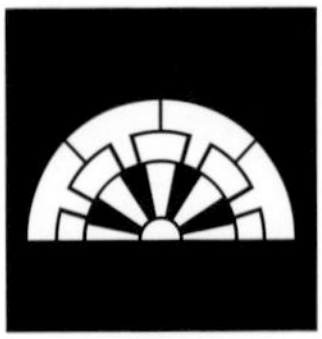
生駒車

大割源氏輪に並び鷹の羽

源氏輪に違い矢

石持地抜源氏車に浪

三つ割重ね源氏車

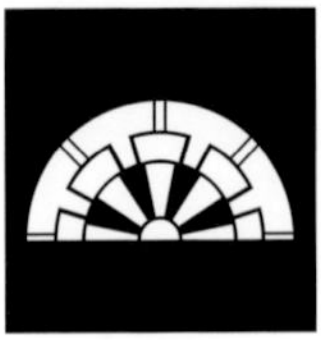
生駒車

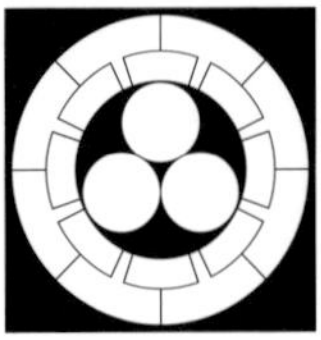
源氏輪に三つ星

源氏輪に違い矢筈

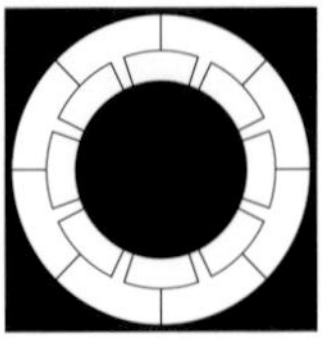
源氏輪

重ね花形車

鍬形《くわがた》

家紋の鍬形は兜の正面に取り付けられる装飾品（眉庇に打つ前立物）。農具の鍬を象ったともいわれる。

主な使用家

松平氏
豊原氏
三上氏
松下氏

丸に鍬形

三つ組鍬形

二つ違い鍬形

丸に三つ剣鍬形

上下違い鍬形

五つ鍬形崩し

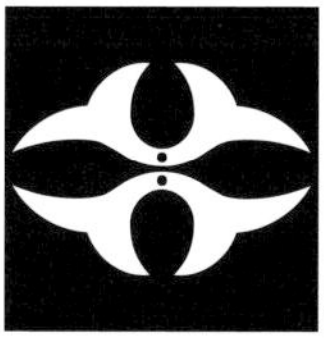
上下対い鍬形菱

星付鍬形

三つ鍬形

鍬形に二つ巴

三つ違い鍬形

紀州鍬形

剣《けん》

家紋に用いられるのは両刃剣である（日本刀ではない）。三種の神器の天叢雲剣（あまのむらくものつるぎ＝草薙の剣）のイメージに近いものが描かれる。

主な使用家

興津氏
森氏
白井氏
彦坂氏

三つ剣

四つ剣菱

五つ剣

六つ剣

八つ剣菱

丸に違い剣

五徳

丸に五徳

丸五徳

角五徳

五徳菱

据え五徳

五徳《ごとく》

五徳は囲炉裏や火鉢、七輪などの上に置いて、鉄瓶や鍋鎌などを乗せるためのもの。主に茶道で用いられる。

主な使用家

疋田氏
鎌田氏
河田氏
平野氏

丸に笄

細輪に並び笄

丸に違い笄

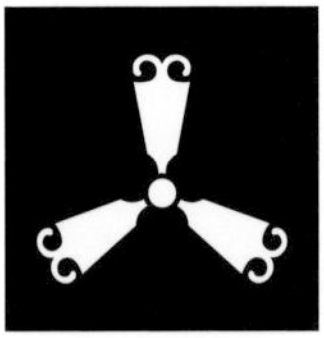
三つ笄

六つ笄

八つ笄車

笄《こうがい》

笄は髷（まげ）をつくるための道具。武士が日本刀とともにこれを持ち歩いた。目貫、小柄とともに「三所物」（日本刀の付属物）とされた。

主な使用家

有馬氏
安立氏
町田氏
鶴見氏

中陰違い剣

変わり違い剣

三つ蔓剣

三つ又剣

変わり三つ剣

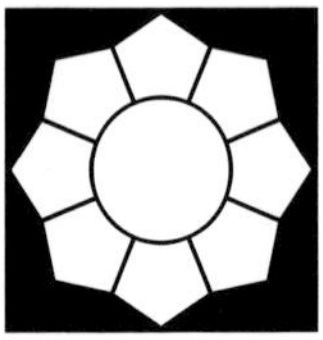
清浦家剣車

石持地抜据え五徳

変わり据え五徳

丸に置き五徳

中輪に角五徳

炉縁に真向き五徳

五徳に三つ篠笹

琴柱・箏柱《ことじ》

琴柱は和琴（わごん）および箏（そう）で弦と胴体部の間に立て、振動を胴に伝え、音程を調整するために用いるもの。

主な使用家

秋間氏　後藤氏　井戸氏　中村氏

琴柱に木瓜

四つ組琴柱

丸に琴柱

離れ琴柱に亀甲花角

五つ琴柱

並び琴柱

上下対い琴柱に根笹

琴柱桔梗

三つ立ち琴柱

三つ追い琴柱に六つ桜

琴柱桐

丸に三つ琴柱

琴柱菱に三つ琴の爪

琴柱胡蝶

三つ琴柱の丸

丸に三つ琴の爪

浮線琴柱

三つ組琴柱

駒《こま》

中国では「象戯」という。紋章は文献上に現われていない。

主な使用家

駒形氏
須貝氏
高野氏
小針氏

将棋駒

糸輪に四つ将棋駒

丸に将棋駒

五つ将棋駒

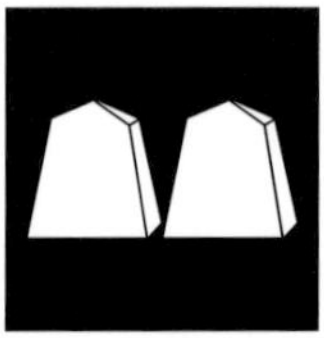
並び将棋駒

丸に将棋駒車

丸に並び将棋駒

王将

三つ盛将棋駒

成り駒

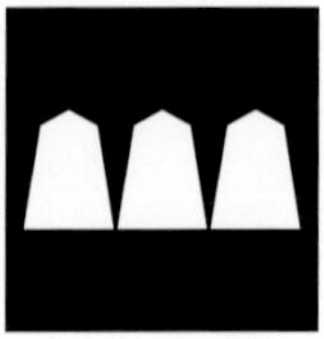
三つ並び将棋駒

桂馬駒

独楽《こま》

古くは古末都玖利（コマツクリ）と呼ばれた。ほいのし紋（226頁）に分類されるもの以外で、家紋に使用されるのは陀螺（ぶしょうごま）紋のみ。

主な使用家

里村氏
木下氏
千家

陀螺

丸に独楽

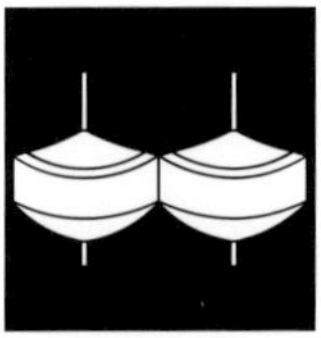
並び独楽

丸に三つ独楽

紐付独楽

変わり独楽（ほいのし）

三つ独楽（三つほいのし）

三つ盛独楽（三つ盛ほいのし）

木下家独楽

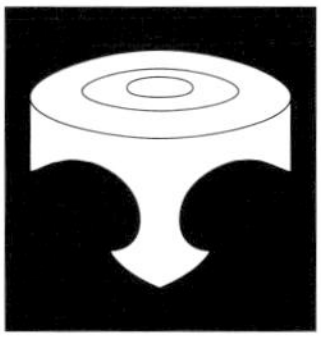
木下家独楽

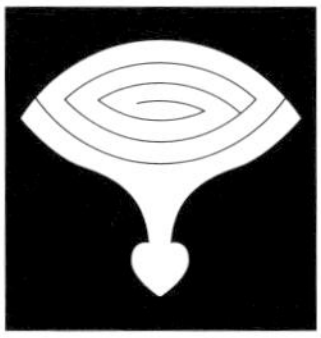
千家独楽

千家独楽

猿《さる》

猿紋は「括り猿」を象ったもの。飛騨のさるぼぼ、奈良の身代わり猿、京都（八坂庚申堂）の括り猿がある

主な使用家

竹中氏　木谷氏　猿山氏

糸輪に括り猿

尻合わせ三つ括り猿

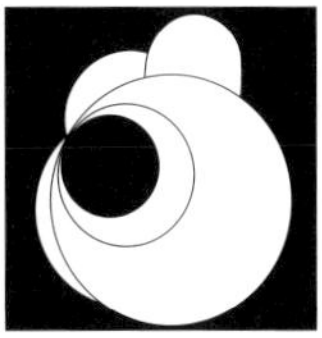
変わり括り猿

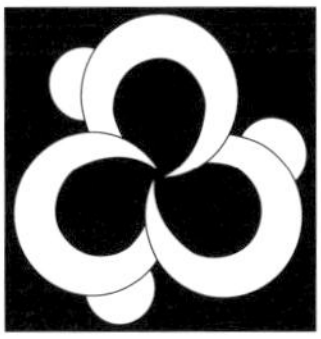
三つ括り猿

三つ組括り猿

変わり三つ括り猿

算木《さんぎ》・木《き》

和算でも用いられた古代中国発祥の計算道具。算盤（そろばん）が発明されるまで用いられた。紋帖には「木紋」として掲載されている。

主な使用家

周西氏　星合氏　滝川氏　今川氏

丸に算木

石持地抜算木

丸に立て算木

丸に一つ算木

丸に二つ算木

丸に縦横算木

蛇の目《じゃのめ》・弦巻《つるまき》

蛇の目紋は弦巻紋の通称である。弦巻は武士が弓に張る弦の予備を巻いておくための道具で、その形が蛇の目に見えることから名づけられた。

主な使用家

吐田氏
堀江氏
飯富氏
加藤氏

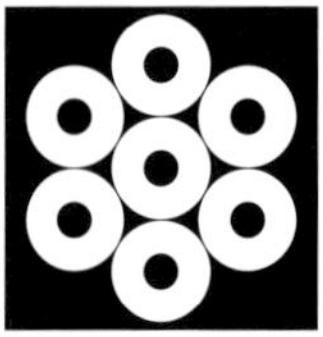
蛇の目七曜

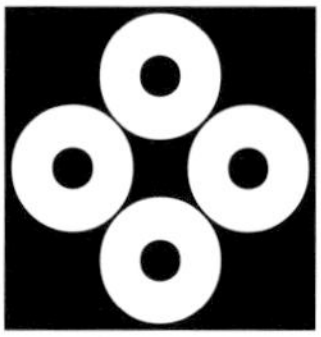
四つ蛇の目

比翼蛇の目

蛇の目

七つ捻じ蛇の目

四つ並び蛇の目

三つ盛蛇の目

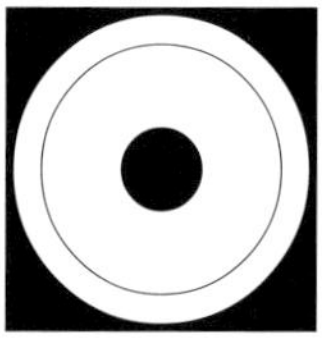
丸に蛇の目

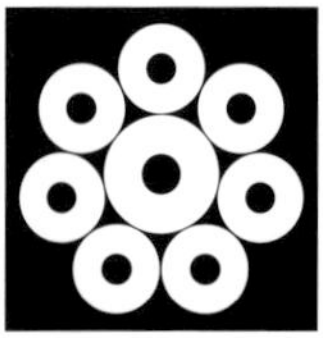
蛇の目八曜

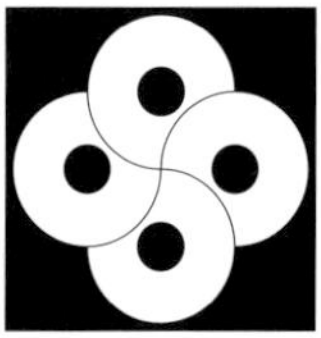
四つ捻じ蛇の目

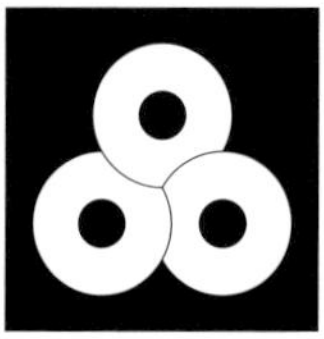
三つ捻じ蛇の目

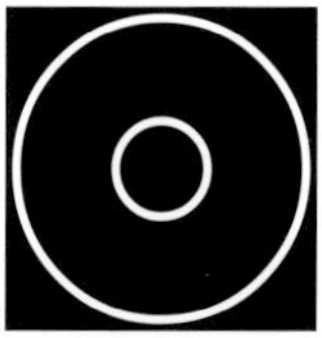
陰蛇の目

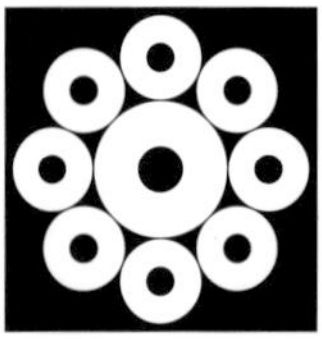
蛇の目九曜

五つ捻じ蛇の目

三つ剣蛇の目

糸輪に覗き陰蛇の目

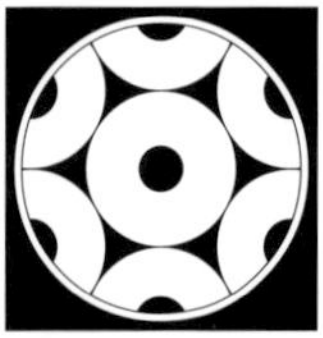
糸輪に蛇の目崩し

五つ剣蛇の目

糸輪に三つ割蛇の目

糸輪に覗き蛇の目

一文字に三つ盛蛇の目

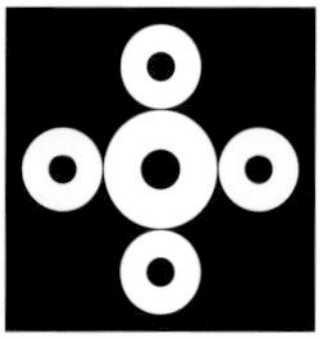
五つ蛇の目

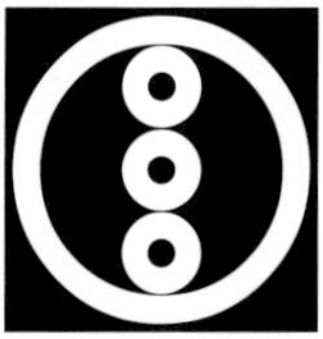
丸に立て三つ並び蛇の目

陰陽重ね蛇の目

三味駒《しゃみごま》

三味駒は三味線の弦と胴体部の間に挟むことで弦を支え、振動を胴に伝えて音を出すためのもの。姓に駒が含まれる家に多い。

主な使用家

駒井氏
駒田氏
駒崎氏

三味駒

対い三味駒

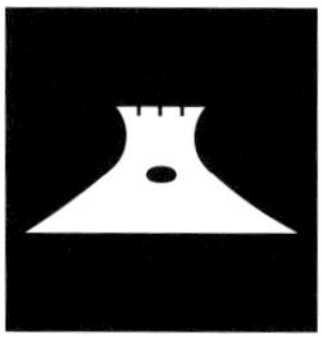
三味駒

三つ三味駒

糸輪に三味駒

三つ盛三味駒

八角に三味駒

太輪に三つ三味駒

丸に二つ三味駒

四つ三味駒

菱に二つ三味駒

三味駒菱

鈴《すず》

巫女の神楽舞に用いる神楽鈴は「巫女鈴」ともいわれる。稲穂に見立てた三つの輪に、上から三、五、七個の鈴を付け、五穀豊穣を祈願した。

主な使用家

鈴木氏
鈴村氏
鈴井氏
亀井氏

房付鈴

一つ鈴

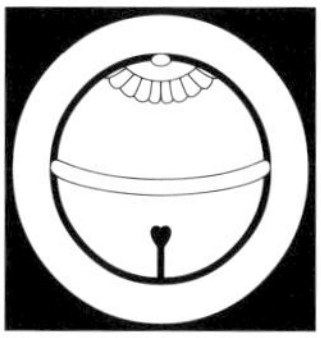
中太輪に一つ鈴

二つ鈴

丸に二つ鈴

丸に三つ盛鈴

浮線綾鈴

三つ鈴

鈴桐

中輪に三つ鈴

神楽鈴

紐付三つ鈴

神楽鈴

五つ鈴

立ち神楽鈴

八つ鈴

駅鈴

十曜鈴

洲浜《すはま》

洲浜紋は蓬莱山（中国の伝説で仙人が住むとされる霊山）を洲浜に見立てて、松竹梅や鶴亀で飾った台（洲浜台）を象ったものである。

主な使用家

紀氏
藤原氏
八田氏
青木氏

石持地抜州浜

州浜

変わり州浜

丸に州浜

変わり州浜

陰州浜

光琳州浜

中陰州浜

朧州浜

丸に陰州浜

蔓州浜

総陰丸に州浜

中陰州浜桐

丸に蔓三つ州浜

割追い州浜

尻合わせ三つ州浜
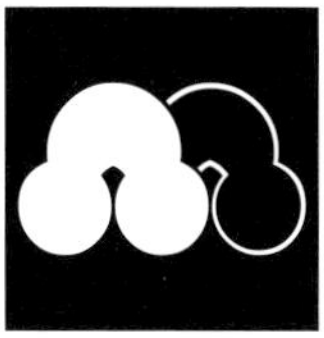
陰陽州浜

三つ盛州浜

丸に一文字に州浜

三つ割州浜
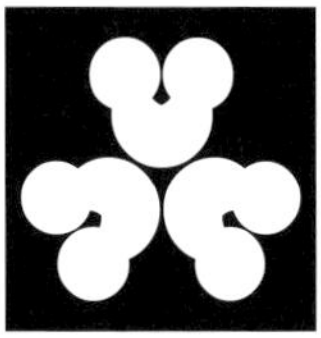
頭合わせ三つ州浜

入れ違い州浜

原型州浜

丸に州浜に釘抜

花形州浜
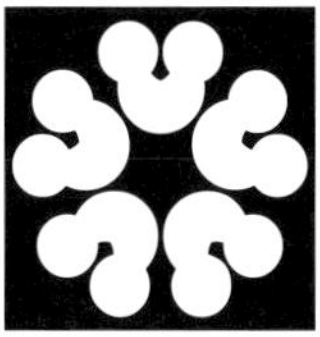
頭合わせ五つ州浜
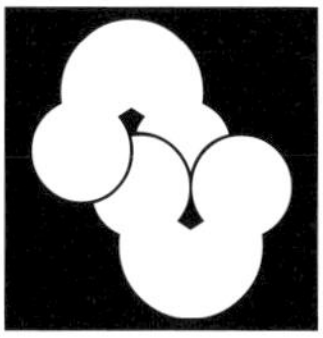
入れ違い州浜

州浜台

月輪に豆州浜

花州浜

三つ持合州浜

丸に組州浜

秋津家州浜

糸菱に覗き州浜

変わり三つ盛州浜

五つ持合州浜

丸に持合州浜
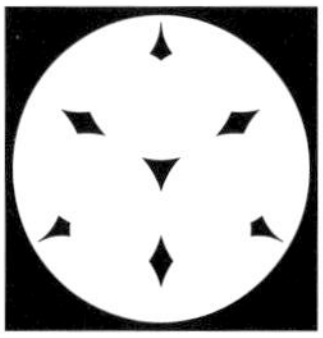
真田家割洲浜

中陰浮線州浜

丸に剣三つ州浜

州浜崩し

丸に頭合わせ州浜

銭《ぜに》

冥銭（めいせん）のこと。三途の川の渡し賃とされ、葬儀の際は死者に持たせた。「死をも恐れぬ」といった信念をもとに掲げられた。

主な使用家

滋野氏
海野氏
合田氏
水野氏

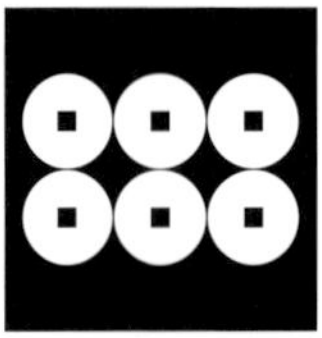

真田家銭（六連銭）

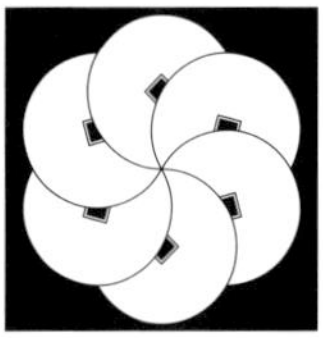

六つ捻じ裏銭

浪銭

永楽銭

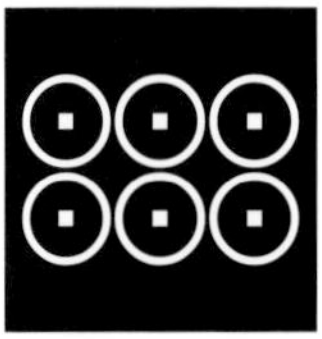

裏真田家銭（裏六連銭）

文銭

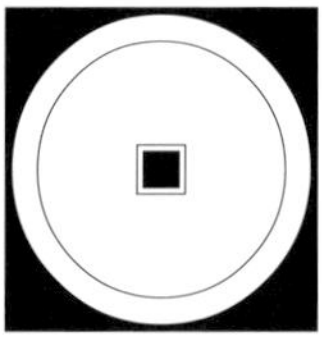

裏銭

寛永銭

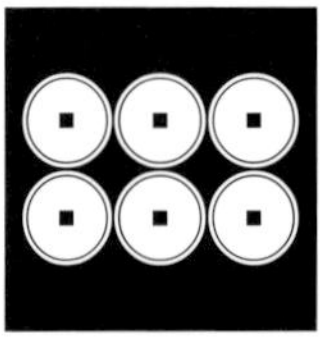

阿部家銭

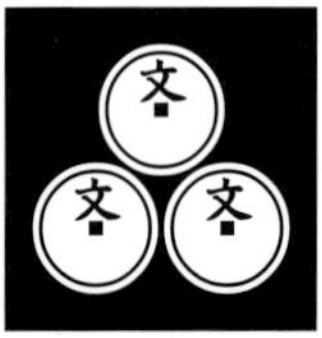

三つ盛文銭

一文銭

地抜寛永銭

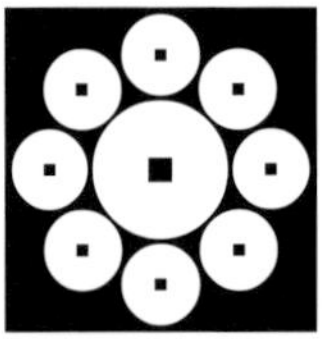

長谷部家銭

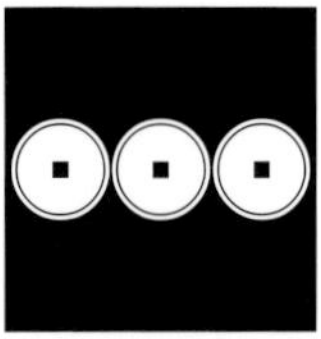

三文銭

一文銭

天保銭

東篠家銭

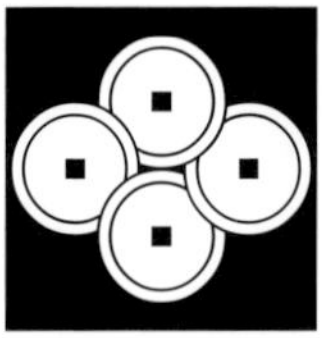

四つ重ね銭

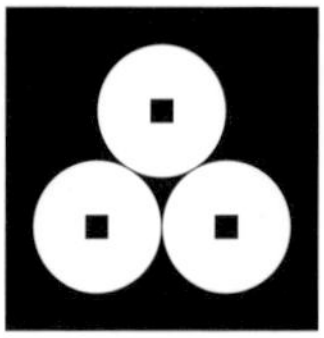

三つ盛一文銭

表裏文久銭

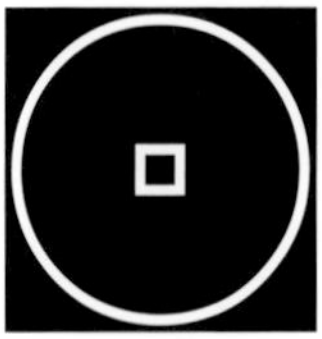

青山家銭

立て六連永楽銭

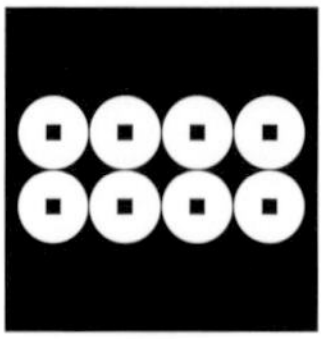

八連銭

浪銭

宝結び

たからむすび

宝結びは「無限を表わす」といわれる連続文様。このため、長寿や、人と人をつなぐ縁起物とされる。

主な使用家

後藤氏
織原氏
丹羽氏
太田氏

宝結び

鍬形宝結び

変わり二重輪に宝結び

華蔓宝結び

角宝結び

丸に華蔓宝結び

石持地抜角宝結び

三つ寄せ一つ結び

三つ寄せ角宝結び

宝結び蝶

蝶形宝結び

変わり華蔓宝結び

団子

だんご

戦勝の首を団子に見立てたといわれる団子紋。京都の花町では「つながり」の象徴として、現代でも繋ぎ団子紋が用いられる。

主な使用家

伏屋氏
上田氏
中山氏
豊原氏

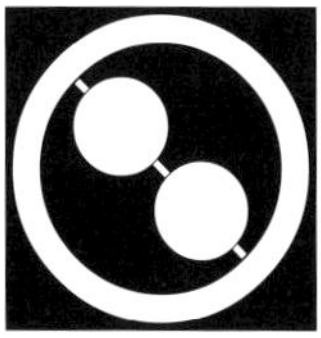
丸に二つ串団子

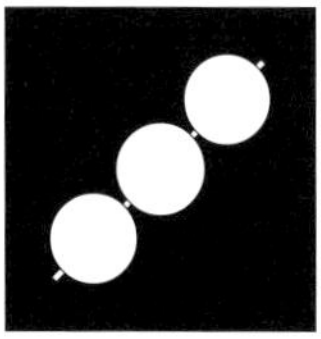
因幡団子

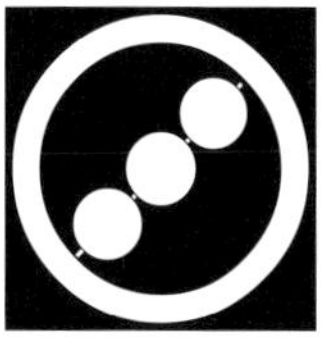
丸に三つ串団子

丸に三つ並び串団子

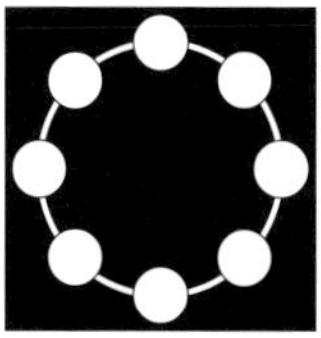
繋ぎ団子

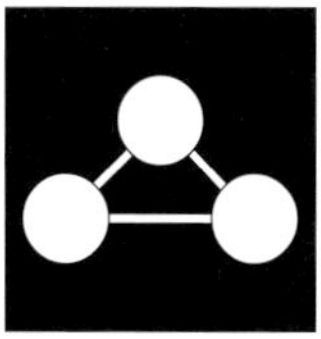
州浜団子

打板・丁盤《ちょうばん》

鎌倉時代に禅宗とともに中国から渡来した鉄や青銅製の雲形の板で、雲板（うんぱん）という。打楽器と呼んでも差し支えないもの。

主な使用家

安藤氏
小管氏
杉原氏
蔦木氏

打板

丸に打板

陰打板

変わり打板

打板菱

糸輪に打板菱

滕・千切《ちきり》

滕は織機で縦糸を巻くための部品で、経巻具（たてまきぐ）ともいう。誓い（契り）、男女の結びつきなどに通じる。

主な使用家

二木氏
岩波氏
小城氏
松平氏

滕菱

滕

三方滕

陰滕

四方滕

丸に滕

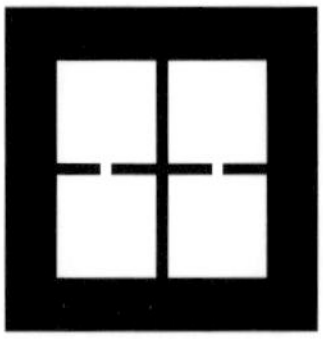
並び滕

丸に房付滕

頭合わせ三つ滕

結び滕

滕巴

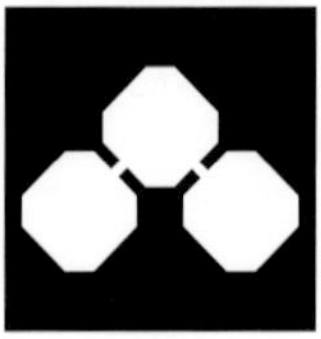
隅切滕

槌《つち》

大型の木槌を「掛矢（かけや）」と呼び、城の門を打ち破る際などに用いた。尚武的意義のほか、大黒天の食物・財福の意義もあるだろう。

主な使用家

田沢氏
各務（せがみ）氏
南条氏
稲葉氏

槌

中陰槌

隅切角に槌

木目槌

丸に違い槌

三つ槌

浮線打板

三つ割重ね打板

打板菱

打板桐

三つ打板

糸輪に打板菱

団扇打板

三つ盛打板

割打板

打板に七つ星

釣り打板

三つ割打板

小菅家打板

釣り打板

変わり三つ割打板

田辺家打板

浮線打板

頭合わせ三つ割打板

丸に違い鼓胴

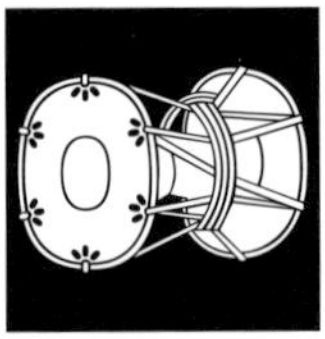
鼓

三つ鼓胴

真向き鼓

三つ並び鼓胴

房鼓

調べ鼓胴

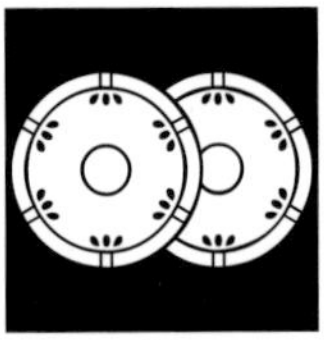
鼓皮

三つ違い鼓胴

丸に出菱に鼓胴

解き鼓

二つ並び鼓胴

鼓

つづみ

能楽などに欠かせない楽器の一つ。家紋では文献上使用諸氏の確認ができない。写実的に描いたものと、胴部分を簡略化したものがある。

主な使用家

東氏　魚見氏　片岡氏　根岸氏

糸輪に五つ槌

丸に三つ槌

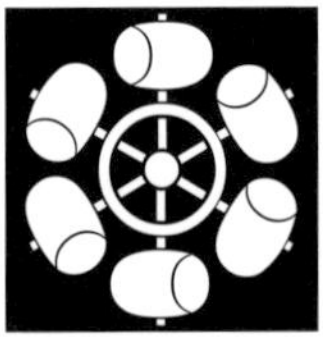
六つ槌車

丸に剣三つ槌

八つ槌車

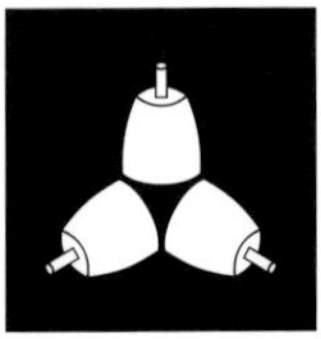
三つ横槌

中輪に水に槌車

尻合わせ三つ横槌

三つ違い掛矢槌

四つ横槌

槌に二つ引

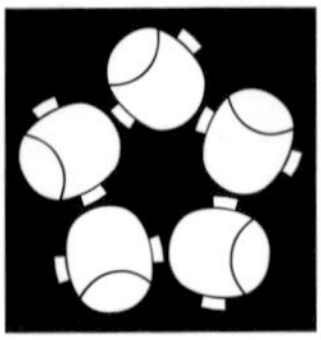
五つ槌

熨斗《のし》

そもそも「熨斗鮑（のしあわび）」という縁起物で、古くから贈答品に添えられてきたが、次第に簡略化されて紙が用いられるようになった。

主な使用家

河野氏
奈佐氏
三宮氏
岩竹氏

隅切角に変わり束ね熨斗

変わり熨斗丸

抱熨斗

立ち束ね熨斗

隅切角に変わり結び熨斗

浪熨斗丸

抱結び熨斗

飾り熨斗

束ね熨斗

熨斗輪に福寿草

三つ寄せ熨斗

抱飾り熨斗

分胴熨斗

熨斗輪に光琳右三階松

三つ組合熨斗

違い熨斗

熨斗桐

総陰熨斗輪に三つ星

変わり三つ追い熨斗

違い熨斗

揚羽熨斗蝶

陰二つ熨斗丸に中陰片喰

変わり熨斗丸

結び熨斗の丸

三つ重ね羽子板

羽子板

五つ追い羽子板

雪持地抜羽子板

六角羽子板に羽根

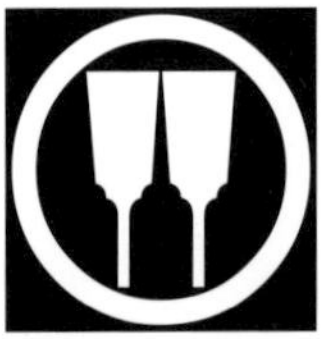
丸に並び羽子板

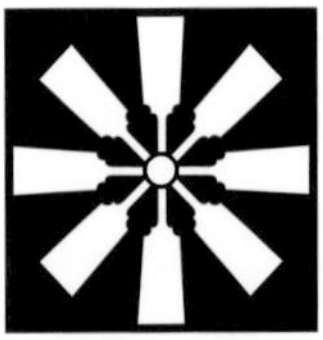
八つ羽子板

違い羽子板

一つ羽根

中輪に違い羽子板

雪持地抜羽根

三つ羽子板

羽子板《はごいた》・羽根《はね》

魔除けとして正月に羽子板を女性に贈る習慣があった。江戸時代に押絵羽子板が流行し、元禄の頃には遊びとして定着した。

主な使用家

羽山氏
前田氏
棚田氏

上下対い熨斗菱

変わり熨斗蝶

折り熨斗菱

熨斗胡蝶

違い折り熨斗

折熨斗蝶

三つ組折り熨斗

熨斗鶴

熨斗包み

熨斗鶴の丸

紀伊日前国懸神社

熨斗兎

一つ羽根の丸

三つ羽根の丸

三つ割羽根の丸

四つ羽根の丸

五つ羽根

羽根桐

梯子《はしご》

次々と場所を変えることを「梯子する」という。「登り詰める」から、出世を願うという意味を込めて、家紋になったと思われる。

主な使用家

牧野氏
田口氏
沼倉氏
小倉氏

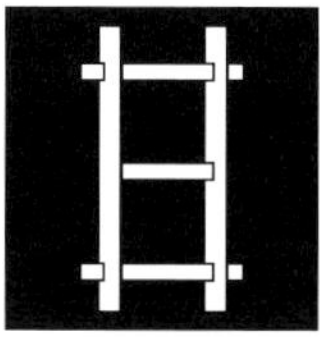

三段梯子

丸に斜め三段梯子

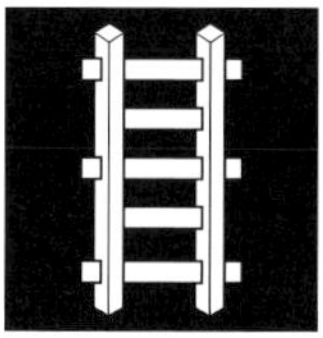

五段梯子

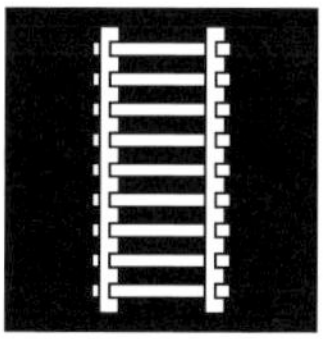

九段梯子

六角笹に三段梯子

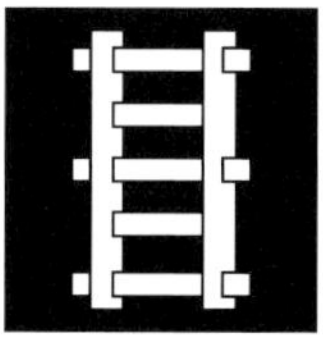

牧野家梯子

旗《はた》

文献上で旗紋は登場せず、使用諸氏は見当たらない。明治以後に生まれた新紋の部類だろう。

主な使用家

不明

丸に一つ国旗

丸に違い国旗

入れ違い国旗

二つ旗菱

三つ旗の丸

六つ旗車

羽箒《はぼうき》

茶室で、炉から飛び散った灰や、こぼれた茶、茶器のほこりを取るために用いる。使用状況から、軍配団扇の変化である可能性が高い。

主な使用家

小幡氏
山本氏
大浜氏
吉田氏

羽箒

羽箒の丸

羽箒

抱羽箒

並び羽箒

抱羽箒

外向き立ち羽箒

抱羽箒の丸

違い羽箒

二つ追い羽箒の丸

違い羽箒

三つ追い羽箒の丸

半鐘《はんしょう》

半鐘（小型の釣鐘）は、仏教寺院の境内の僧侶が時報を知らせるために用いた。禅宗における丁盤と使われ方は同じである。

主な使用家

尾崎氏
片倉氏
池谷氏
糟谷氏

櫓半鐘

花形半鐘

古代半鐘

雪形半鐘

平井筒に櫓半鐘

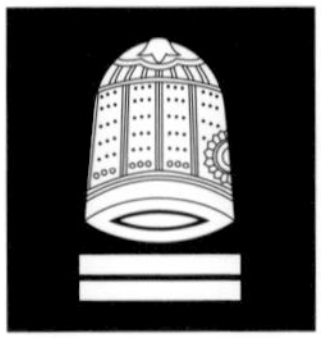
櫓半鐘に二つ引

袋

ふくろ

紋章として描かれる袋は「金嚢（きんのう）」と呼ばれる砂金袋である。大黒天の持つ福袋はこの金嚢である。宝尽文様の一つ。

主な使用家

施薬院氏
富永氏
富岡氏
宮永氏

袋

金袋

丸に変わり袋

細輪に角袋

丸に二つ袋

丸に丸袋

三つ袋

中輪に角袋

聖天袋

紐付袋

変わり袋

細輪に袋菱

船

ふね

船紋には主に「帆掛船」「宝船」「木の葉船」の三つがある。その意義や成り立ちはそれぞれ異なる。本来は分類すべきもの。

主な使用家

名和氏
村上氏
高氏
船戸氏

船

帆掛船

帆掛船

帆掛船

帆掛船

帆掛船

文

ふみ

家紋に用いられるのは、手紙を折り畳んで結ったものと御神籤を結んだもの。「矢文(やぶみ)」を連想させるものもある。

主な使用家

中原氏
梯氏
野間口氏

文車

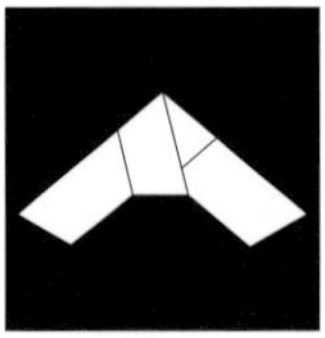
結び文

恋文

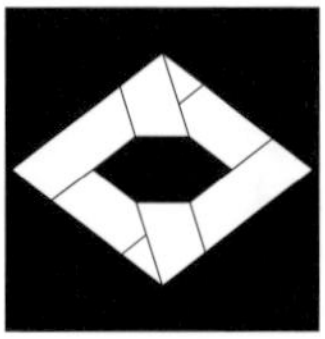
上下文菱

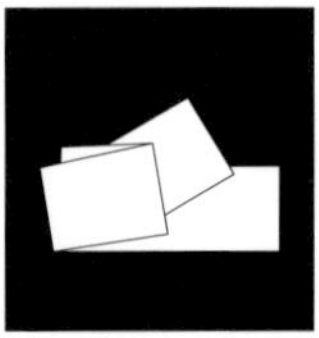
開き文

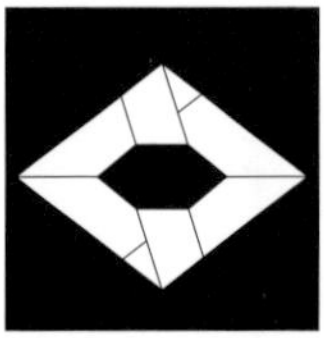
上下対い文菱

中開き文

丸に文崩し

手本文

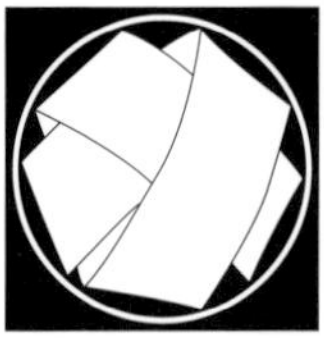
糸輪に文

十六折れ紙

丸に文車

宝船

丸に帆掛船

宝船に浪

丸に帆掛船

浪の丸に帆掛船

糸輪に帆掛船

梶の葉船

真向き帆掛船

木の葉船

丸に真向き帆掛船

鳥取名和神社

飾り船

分銅《ふんどう》

室町時代から江戸時代にかけて、分銅の製作は御用達の彫金を家職とした後藤四郎兵衛家にのみ許された。この分銅を「後藤分銅」と呼ぶ。

主な使用家

堀尾氏
松平氏
近藤氏
二木氏

石持地抜三つ分銅

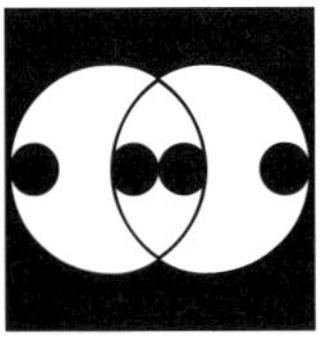
持合分銅

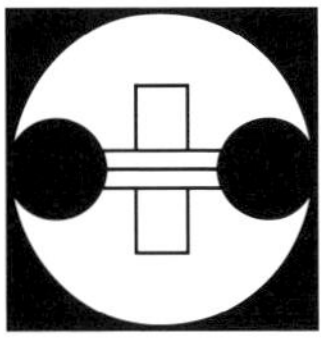
宝分銅

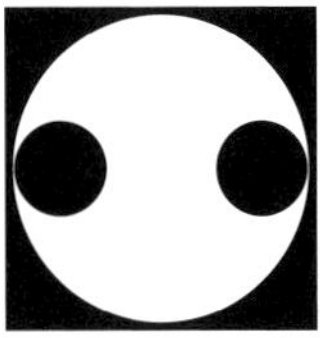
分銅

三つ寄せ分銅

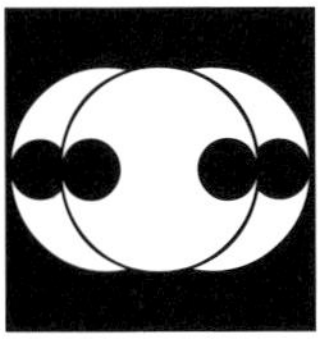
三つ重ね分銅

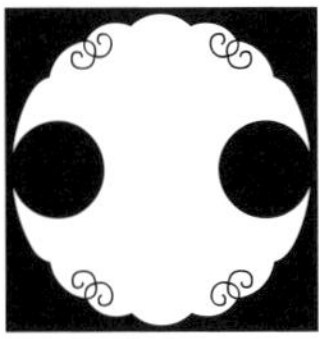
花分銅

中陰分銅

三つ組分銅

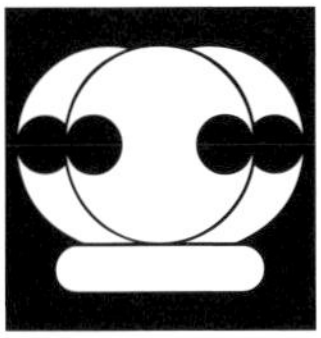
三つ重ね分銅に一文字

組合角に分銅

丸に分銅

五つ捻じ分銅

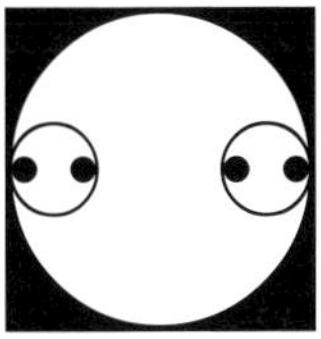
子持分銅

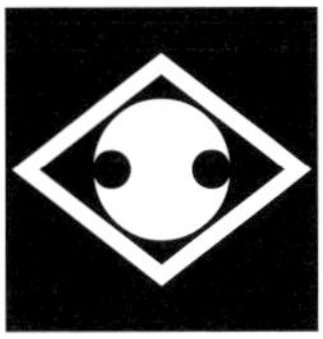
菱に分銅

丸に花形分銅

分銅桜

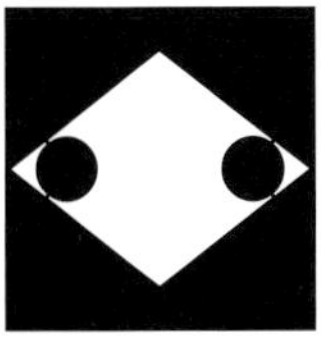
分銅菱

陰陽分銅

糸輪に細分銅

分銅梅鉢

細輪に三つ分銅

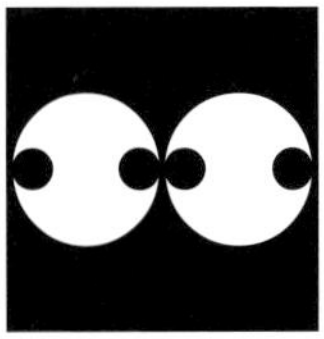
並び分銅

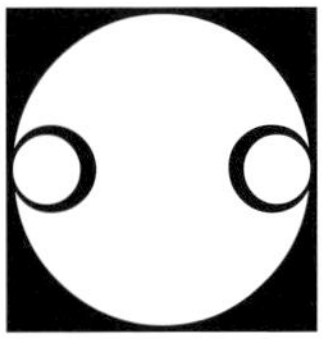
星付分銅

幣

（へい）

弊はいわゆる御幣のことで、神道の祭祀で用いる神具である。戦国武将柴田勝家が馬標として金の御幣を用いた。

主な使用家

穂積氏　鈴木氏　亀井氏　宇井氏

丸に弊

変わり違い弊

丸に幣

丸に違い幣

御祓い弊

鈴違い弊

神宮弊

祭札弊

なびき御祓い幣

榊に弊

違い弊

三つ盛弊

瓶子

（へいし）

古くから瓶子（小型の壷）は酒盛りに用いられ、神前に供えられた。後に徳利（とっくり）が現われてからは、瓶子は神器として扱われた。

主な使用家

島田氏　川越氏　安食氏　大岩氏

瓶子

丸に瓶子

陰瓶子

石持地抜瓶子

房付瓶子

変わり瓶子

五つ瓶子

中輪に瓶子に桜

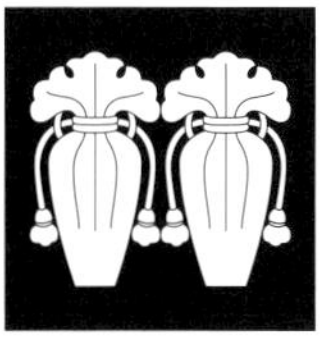
並び瓶子

六つ瓶子

糸輪に変わり瓶子

丸に並び瓶子

割瓶子

上包み瓶子

二重輪に並び瓶子

三つ割瓶子

変わり包み瓶子

隅入り角に並び瓶子

並び瓶子に一文字

丸に神社瓶子

三つ盛瓶子

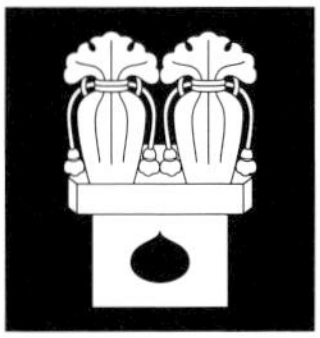
三宝に並び瓶子

三つ瓶子

折敷に瓶子

帆

ほ

帆紋は、帆掛船紋（197頁）を使用する氏に多い。おそらく、帆掛船が転化したものだろう。姓に船が含まれる家に多い。

主な使用家

村上氏
嘉悦氏
布施氏
三谷氏

丸に一つ帆

一つ帆の丸

変わり帆の丸

二つ帆の丸

陰二つ帆の丸

変わり二つ帆

二つ帆菱

水に帆

石持地抜真向き帆

三つ寄せ帆

入れ違い帆の丸

松葉菱に覗き帆

浪に簾帆

抱帆

四つ帆の丸

三つ帆の丸

一つ帆の丸に丸十字

浪の丸に真向き帆

抱帆の丸

中輪に四つ帆

陰三つ帆の丸

一つ帆の丸に寳文字

浪に三つ帆

浮線帆

五つ帆の丸

変わり三つ帆の丸

帆の丸に剣片喰

水に真向き帆

変わり浮線帆

六角帆

三つ割帆

三つ帆に三つ巴

霞に真向き帆

糸輪に三階帆

糸輪に真向き帆

真向き三つ寄せ帆

宝珠《ほうじゅ》・玉《たま》

如意宝珠（チンター・マニ）は、サンスクリット語で「思う通りに願いをかなえる玉」という意味。日本でも宝尽文様に見られる。

主な使用家

藁科氏
前島氏
船橋氏
倉持氏

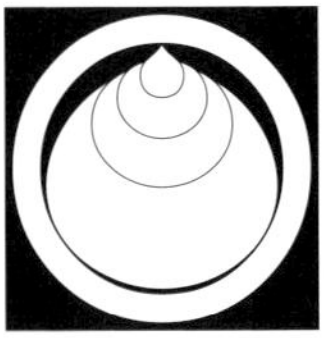
丸に宝珠

丸に頭合わせ三つ宝珠

焰宝珠

頭合わせ四つ宝珠

変わり焰宝珠

尻合わせ五つ宝珠

一筆宝珠

五つ捻じ宝珠

光琳の宝珠

三つ割宝珠

稲荷宝珠

宝珠桐

鉞《まさかり》

鉞の刃には三本または四本の線が入っている。「身（三）を避（四）ける」という意味から、災害から身を守る魔除けの役割があった。

主な使用家

芥川氏
荒尾氏
沢氏
武島氏

丸に鉞

違い鉞

細輪に並び鉞

鉞菱

三つ鉞

糸輪に三つ鉞

枡《ます》

枡は「増す」に通じるとして縁起物とされた。歌舞伎の市川家が枡紋を用いるのは有名。姓に枡、増、益が含まれる家に多い。

主な使用家

金子氏
小此木氏
岩田氏
服部氏

三つ隅合わせ枡

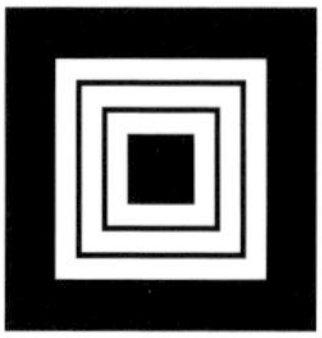
三つ入れ子枡

枡

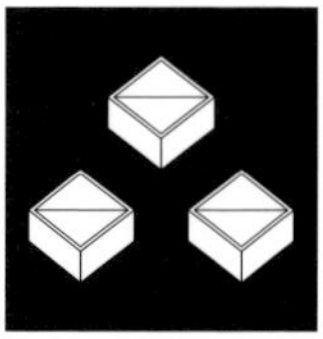
三つ盛枡

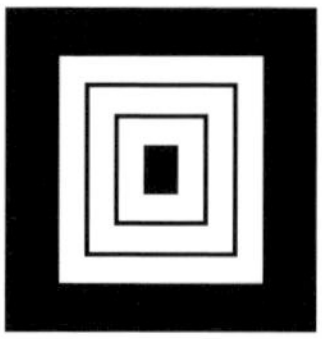
立て長三つ入れ子枡

陰枡

変わり三つ枡

角持地抜枡

丸に枡

中輪に枡に枡搔き

重ね枡

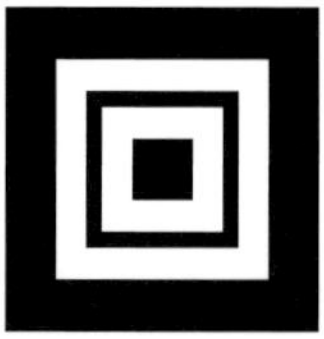
入れ子枡

丸に三つ枡に枡搔き

枡崩し

糸輪に入れ子枡

違い枡

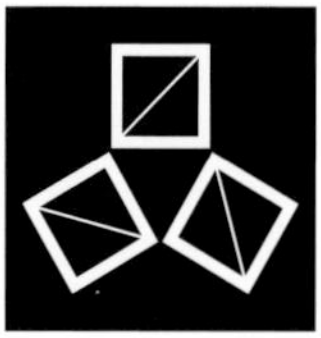
三つ寄せ枡

丸に隅立て入れ子枡

四つ鉞

五つ鉞

五つ鉞車

六つ鉞車

斧菊

携鉞

丸に違い枡に枡掻き

枡桐

二つ入れ子枡に一つ巴

三つ入れ子枡に二つ巴

三つ入れ子枡に大割蔦

三階枡

豆造《まめぞう》

豆造は弥次郎兵衛（釣り合い人形）のこと。家紋に用いられた例が文献に見当たらないことから、図案として描かれたようだ。

主な使用家

不明

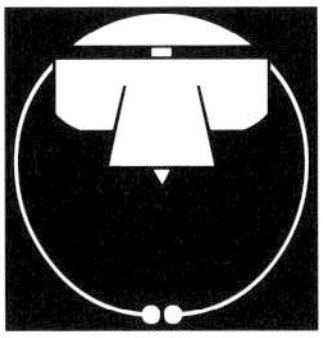

一つ豆造

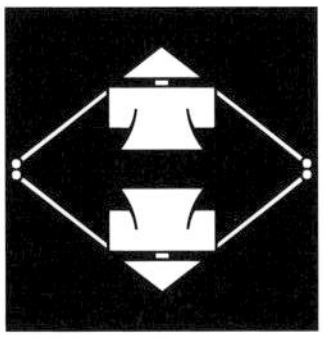

豆造菱

丸に豆造桐

三つ豆造

三つ割豆造

一筆豆造

鞠《まり》・鞠鋏《まりばさみ》

蹴鞠の鞠を保存するための道具を鞠鋏という。「離れ鞠鋏」のように、開き腰革に沿ってはめ込み、固定させて使用する。

主な使用家

板倉氏
雨宮氏
奥山氏
近藤氏

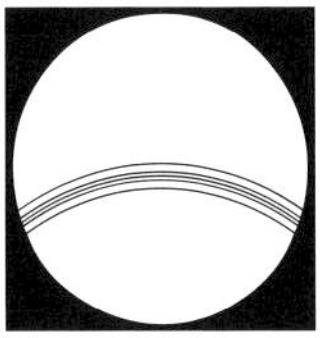

革鞠

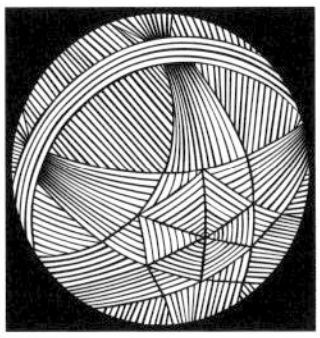

糸手鞠

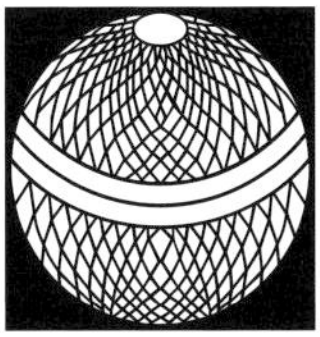

手鞠

蹴鞠

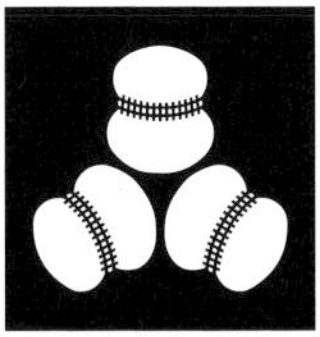

三つ蹴鞠

鞠挟

餅《もち》

もともと月紋（27頁）だった可能性がかなり高い。黒餅は「石持」（領土持）、白餅は「城持」（一国一城の主）を意味するのが通説。

主な使用家

逸見氏
和田氏
安保氏
黒田氏

黒餅

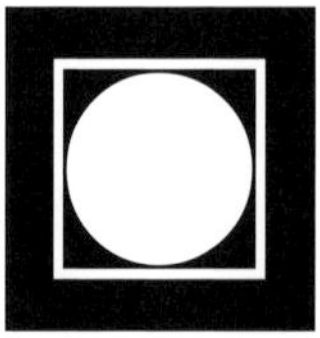
枡形に黒餅

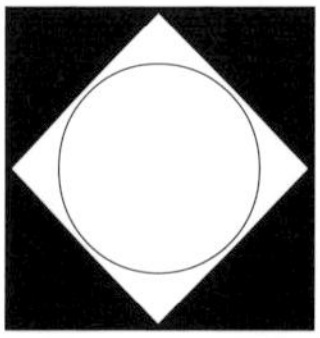
隅立て角に黒餅

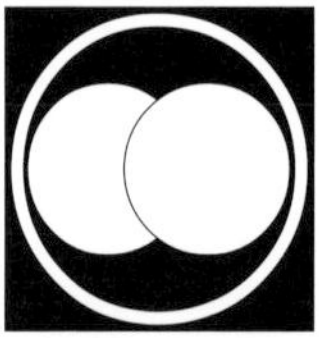
細輪に重ね餅

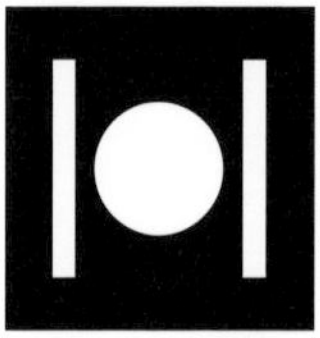
竪二つ引に黒餅

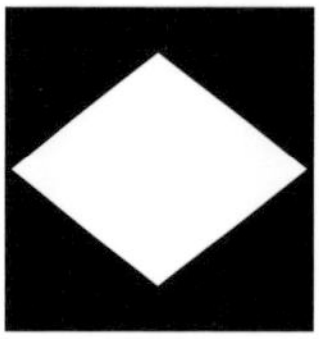
菱餅

鞠挟に槌

鞠挟に鞠

丸に鞠挟

鞠挟に分銅

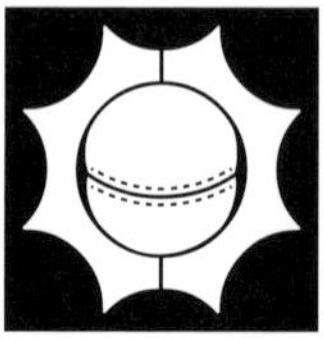
変わり鞠挟に鞠

六角に鞠挟

鞠挟に丸に二つ引

鞠挟に月星

違い鞠挟

鞠挟に四つ目

鞠挟に九枚笹

三つ盛鞠挟

鞠挟に木瓜

鞠挟に三つ地紙

紐付三つ鞠挟

離れ鞠挟

鞠挟に釘抜

八段鞠挟

矢《や》・弓《ゆみ》・的《まと》

矢紋は矢、矢羽、矢尻、矢筈を象って描かれ、尚武的な意味で用いられた。矢紋、弓紋、的紋の関係性から一つの項にまとめた。

主な使用家

太田氏
服部氏
弓削氏
的場氏

違い先割矢羽

丸に違い矢

丸に並び矢

丸に一本矢

矢尻付違い矢

陰違い矢

隅立て角に並び矢

折れ矢

矢尻付違い矢

細中陰違い矢

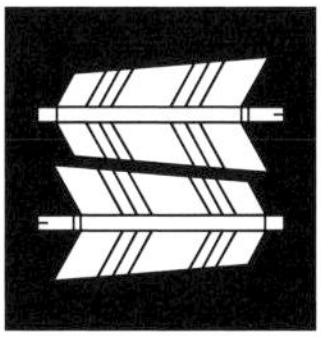
入れ違い二本矢

陰折れ矢

違い鏑矢

石持地抜違い矢

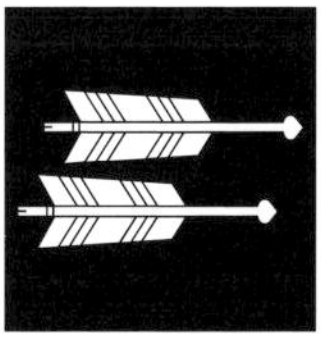
矢尻付横二本矢

一つ先割矢羽

割違い矢

隅切角に違い矢

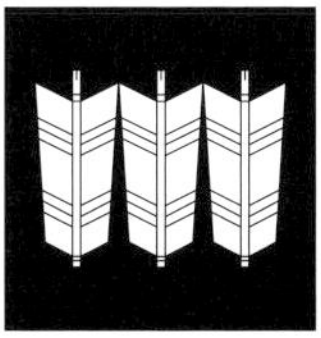
三本並び矢

丸に先割矢

丸に割違い矢

斑入り違い矢

違い矢

並び矢

十二本矢車

斑入り五本矢

四つ矢菱

斑入り三本重ね矢

斑入り割違い矢

糸輪に一つ矢尻

五本矢車

四つ矢菱に三文字

矢尻付三本違い矢

割折り矢菱

六つ矢尻

六本矢車

四つ割矢井筒

三本束ね矢

三つ矢

抱矢に左三つ巴

七本矢車

大割八つ矢菱

剣三つ矢

丸に三つ矢

三つ矢丸に花菱

中陰六本矢車

五本矢扇

丸に剣三つ矢

三つ重ね矢

片桐家割違い矢

八本矢車

九本矢扇

四本矢車

矢尻付三本重ね矢

弓矢違い

丸に二つ弓

切竹矢筈十字

丸に三つ並び矢筈

丸に矢筈

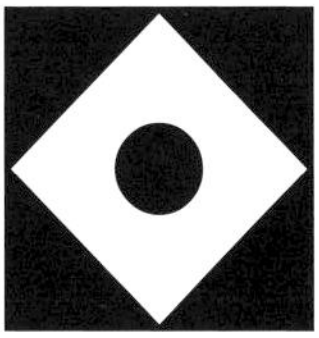
的角

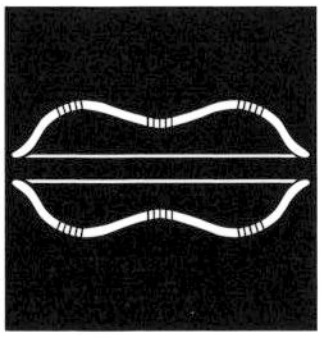
張弓

丸に横二つ切竹矢筈

三つ重ね並び矢筈

太輪に陰矢筈

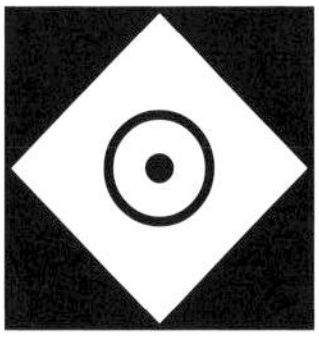
的

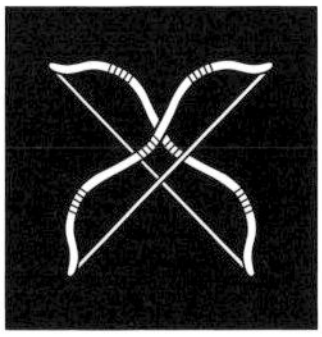
違い弓

細輪に立て三つ切竹矢筈

三つ入れ違い矢筈

丸に折れ矢筈

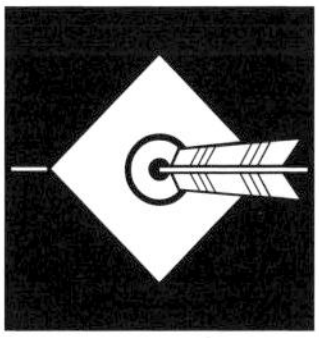
的に一本矢

四つ弓菱

剣三つ矢筈

抱矢筈

丸に違い矢筈

丸的に当たり矢

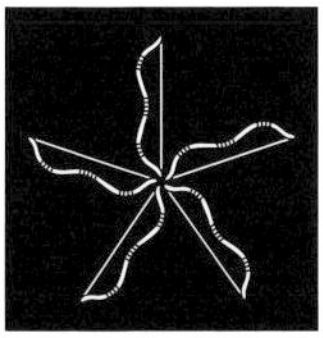
五つ弓

矢尻付三つ矢筈

三つ追い矢筈

入れ違い矢筈

中輪に的に違い矢

弓矢

細輪に六つ矢筈

陰違い切竹矢筈

丸に並び矢筈

結綿《ゆいわた》・綿《わた》

結綿は真綿の中心を結び束ねたもので、神前への供えや婚礼の進物として、祝い事に用いられた。

主な使用家

石渡氏
里見氏
田井氏
大橋氏

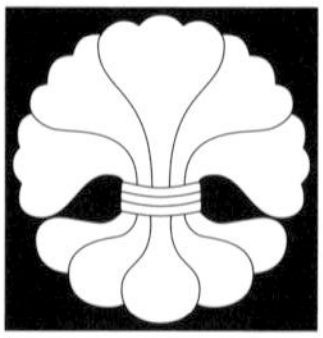
結綿

隅切角に結綿

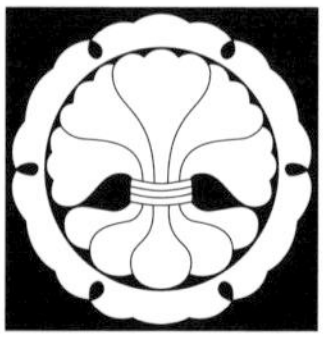
外雪輪に結綿

変わり結綿

紐付結綿

紐付花形結綿

丸に分銅結綿

結綿菱

二つ結綿

丸に対い結綿

三つ寄せ結綿

三つ割結綿

立鼓《りゅうご》

立鼓（輪鼓）は空中独楽の一種で、「デアボロ」という名で世界的に親しまれている玩具である。平安時代に渡来し、鎌倉時代に大衆化した。

主な使用家

内藤氏
滝氏
田中氏

立鼓

丸に立鼓

丸に中陰立鼓

並び立鼓

丸に違い立鼓

三つ並び立鼓

輪宝・輪鋒《りんぽう》

仏教の転輪王が用いる武器とされる。また、古代インドの投擲武器である「チャクラム」ともされる。卍とともに仏教のシンボル。

主な使用家

加納氏
津軽氏
三宅氏
漆戸氏

輪宝

三つ割輪宝

行者輪宝

六つ輪宝

変わり六つ輪宝

五つ輪宝

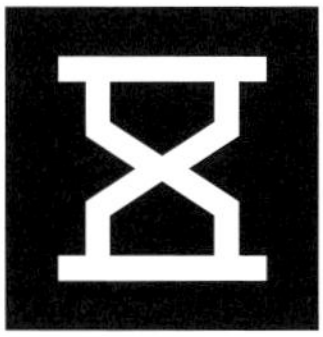
立文字立鼓

細輪に四つ寄せ立鼓

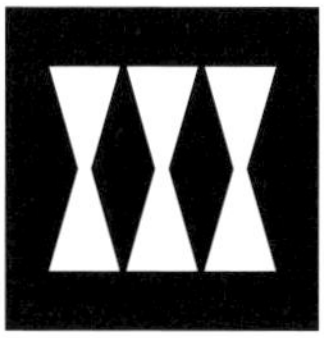
三つ並び立鼓

一つ引に立鼓

亀甲立鼓

三つ盛立鼓

丸に横立鼓に一つ引

変わり立鼓

三つ寄せ立鼓

丸に紐付横立鼓

三つ変わり立鼓

三つ立鼓

山形に中陰立鼓に一つ星

反り立鼓

四つ立鼓

立鼓に手鞠

花形立鼓

四つ入り合い立鼓

変わり加納家輪宝

筆形輪宝

変わり行者輪宝

成田家輪宝

大日輪宝

丸に三つ輪宝

津軽家輪宝

不動輪宝

陰三つ輪宝

真言宗輪宝

三宅家輪宝

三つ又輪宝

天台宗菊輪宝

三宅家輪宝

輪宝菱

下総成田山新勝寺

加納家輪宝

菊形輪宝

蝋燭

ろうそく

和蝋燭を象ったものである。家紋としての使用例はないが、主に蝋燭屋や蝋燭職人が商標や屋号に用いた。

主な使用家

不明

丸に一本蝋燭

糸輪に並び蝋燭

丸に違い蝋燭

丸に三つ違い蝋燭

細輪に三つ蝋燭

三つ割蝋燭

その他

屋号などで多く用いられる曲尺紋などがある。合子箸紋の合子と箸は、それぞれ蛇の目紋（184頁）、引両紋（253頁）の転化と見られる。

丸に曲尺

小出家額（額に二八）

細輪に花筏

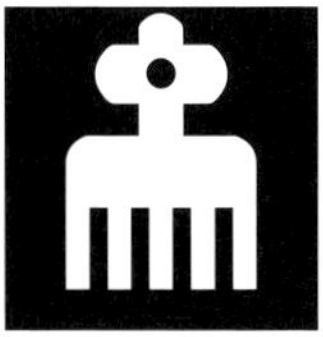
赤鳥

丸に差しに曲尺

鋏具

雪輪に花筏

赤鳥菱

丸に磬

鋏具に雁金

花筏

今川家赤鳥

格子

風車

総角

丸に筏

格子に二つ引

丸に八本骨風車

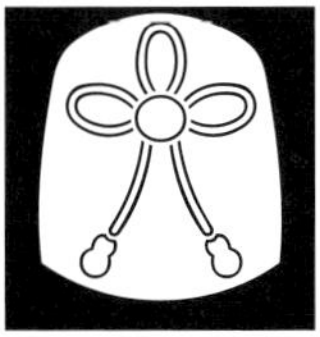
筥形に総角

花筏

合子に箸

風車に三つ巴

園部家額（丸に額）

桜筏

中輪に三つ竹蜻蛉

丸に三つ角頭巾

錫杖

比翼色紙

二つ合子に箸

俵

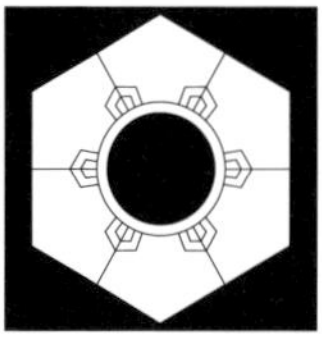
六つ頭巾

糸輪に菖蒲革

色紙短冊

二つ合子に箸

短冊

炭の切り口

丸に菖蒲革

三つ色紙臺

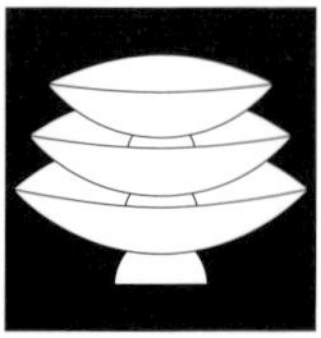
三つ重ね盃

知恵の輪

三つ盛炭の切り口

陣幕

獅子頭

三つ盃

知恵の輪

炭の切り口巴

折れ陣幕

四半幟

盃に地割茗荷

知恵の輪

折墨

三つ頭巾

四半幟に沢瀉

陰色紙

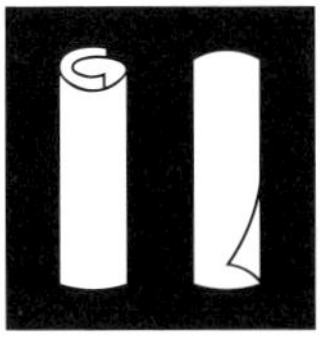
巻絹

糸輪に三つ違い鋏

引違い抜簾

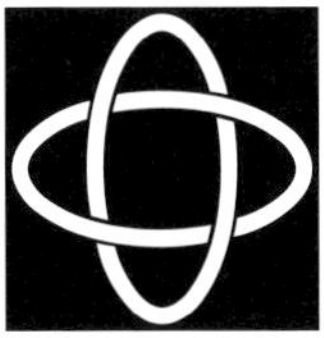
鎖金

知恵の輪

纏

拍子木

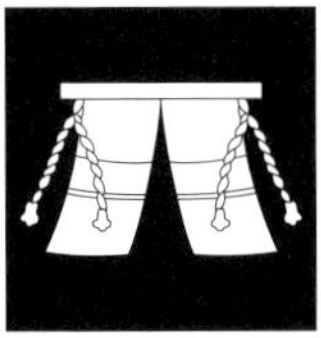
腰桶

独鈷十字（羯磨）

知恵の輪崩し

御簾

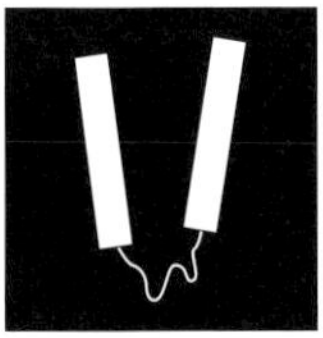
紐付拍子木

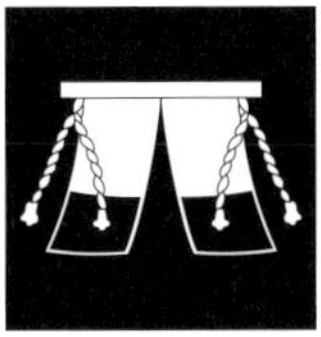
腰桶

羯磨（変わり独鈷）

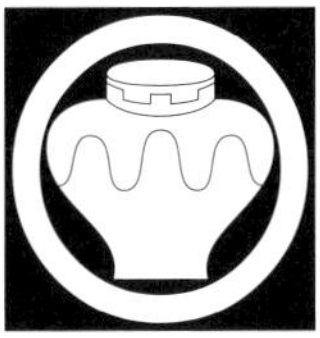
丸に茶壺

丸に御簾

抛筆

丸に一つ鋏

違い独鈷

炭消し壺

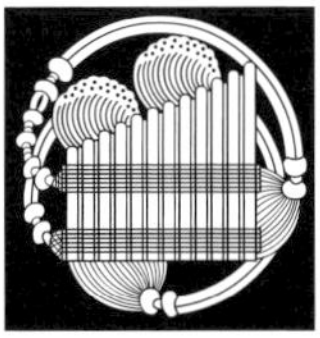
房付律の丸

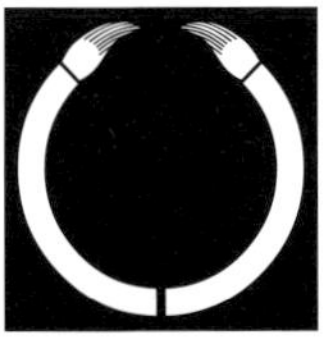
対い抛筆

丸に並び鋏

真言宗独鈷（金剛羯磨）

細輪に瑞瓶

抱律

抛筆車

丸に違い鋏

二つ引通し抜簾

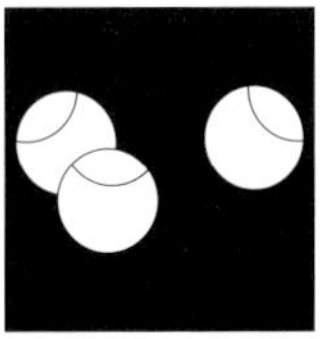
千家壷

第5章 建造物紋

寺社や家屋などの建物や、
土木工事の道具を象った紋章である。

主な建造物紋と特徴

建造物紋には謎の多いものが少なくない。

たとえば、**懸《け》魚《ぎょ》紋・六《ろく》葉《よう》紋**（224頁）。懸魚は、屋根の破風の中央および左右に下げて、棟木や桁の先端を隠す装飾板で、六葉は、懸魚に用いる六枚の葉の形（六角形）をした飾り金具であり、釘隠しの役目も兼ねる。その名のとおり、懸魚は屋根に懸けた魚に由来する。中国・雲南省では、屋根に魚の形をした板を懸ける風習がいまでも残る。しかし、魚は足が速い（腐りやすい）ことから、武家が家紋に用いることは考えにくい。

結城水野氏の家伝によれば、「祖の日向守勝成から桔梗を用いていたが、明智光秀と同様であるため、これを嫌い、桔梗を六弁に変えて「六桔梗」としたが、後にさらに六行（六葉の訛り）とした」としている。これが事実であれば、六桔梗を懸魚の六葉に見立てたとしても不思議ではない。建物の正面に見える六葉は、その建物の象徴に見えたのではないだろうか。

ちなみに、**鉄仙紋**（97頁）と酷似しており、間違えやすい。

丹羽氏の家紋として有名な**直違《すじかい》紋**（225頁）。直違は、建物の骨組の間に斜めに入れる補強材である。違い棒、二本箸打ち違いとも呼ばれる。この紋の起源については諸説ある。

たとえば、丹羽長秀が戦中に袖で刀の血を拭ったら×の字の跡がつき、それを見た豊臣秀吉が「紋にせよ」と命じたという説。長秀の馬印は「えづる竹に金の短尺」（竹の枝に金の短尺を16枚下げたもの）というが、戦後、その馬印の短尺が散って2枚だけになり、×の字に残っていたため、それを紋にしたという説など。

他に、食事に用いる箸、門前に組む死者封じの呪符を象ったという説もある。

なお、直違紋は紋帖では「木紋」として載る。

ほいのし紋（226頁）は、主に**独楽紋**（182頁）や**盃紋**（214頁）に分類されるものである。「ほいのし」の語源ははっきりしないが、新羅王朝（慶州）の離宮である「鮑石亭」で行なわれていた「流觴曲水《りゅうしょうきょくすい》」の宴において、水を張り、酒盃を流した鮑形の石の溝がそうだという説がある（以下は高澤等氏の考察）。

そう考える根拠は、ほいのし紋を用いる氏族にある。たとえば、茶道の千家や秀吉一族の木下氏は、それぞれ「千家独楽」、「木下家独楽」を用いている。両家とも秀吉とは縁が深い。

朝鮮出兵で慶州を占領した加藤清正は、秀吉の元に鮑石亭の遺構の絵図を送っている。なぜなら、清正は古蹟を守るように秀吉から厳命されていたからである。この鮑石亭の遺構を紋章化し、千家や木下氏に下賜したものこそ、千家独楽や木下家独楽の紋ではないかと推測することができる。

連歌師の里村氏も、秀吉から「陀螺《ぶしょうごま》」を賜っているが、このことも根拠を裏付ける材料といえる。

たしかに、ほいのし紋の上部は鮑形の石の溝に流れる水を表現しているように見える。「鮑石」が、「ホウノイシ」から「ホイノシ」と変化したと考えるのが自然だろう。

しかし、れっきとした「盃」に見えなくもない。流觴曲水の「觴」の字は盃を意味する。そのため、盃紋と呼ばれることになったのかもしれない。

井桁《いげた》・井筒《いづつ》

井戸の上部構造の名称。地上に露出する部分を囲む木組が方形のものを井桁、円形のものを井筒という。

主な使用家

井伊氏
溝口氏
甲斐氏
長井氏

井桁

丸に井桁

糸輪に井桁

陰井桁

石持地抜井桁

太井桁

庵《いおり》

庵紋の形については、もともと屋根と柱に区別がなかった。他の紋と組み合わせることが多い。工藤氏族は、主に庵木瓜紋である。

主な使用家

海老名氏
三隅氏
工藤氏
伊藤氏

庵

三つ寄せ庵

丸に変わり庵

盃庵

利休庵

花形庵

井桁庵に花菱

大草庵

庵に久文字

庵に洲浜

庵木瓜

三つ組庵木瓜

井桁に三つ巴

反り井桁

三つ持合組井桁

重ね井桁

組井桁

井桁に覗き桔梗

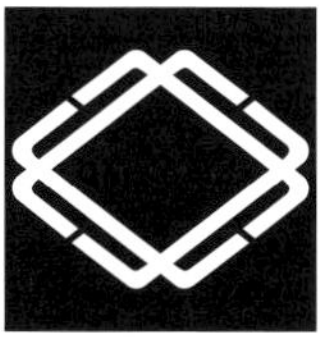
井桁崩し

糸輪に五つ井桁

組合わせ井桁

丸に組井桁

丸に井桁に二つ算木

細輪に井桁崩し

糸輪に糸組合わせ井桁

違い井桁

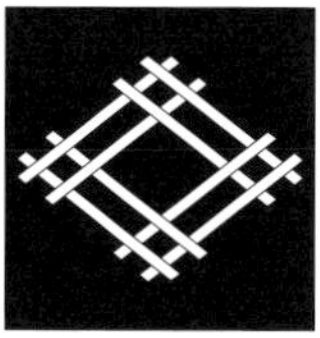
変わり組井桁

組井桁に陰蔦

中輪に結び井桁

丸に折れ井桁

三つ井桁

丸に変わり組井桁

太井桁に花菱

結び井桁菱

細輪に三つ割井桁

三つ盛井桁

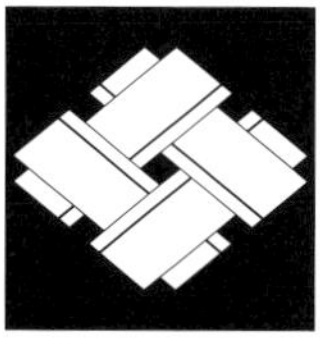
子持組井桁

庵井桁星

井桁桐

唐井桁

中輪に三つ持合井桁

変わり細井桁

花形井筒

隅立て組井筒

丸に持合隅立て平井筒

隅立て井筒

平井筒

花形井筒

隅立て撫で井筒

三つ寄せ井筒

丸に隅立て井筒

丸に平井筒

折り込み井筒

丸に隅立て撫で井筒

丸に隅立て四つ井筒

中輪に隅立て井筒

陰平井筒

唐井筒

糸輪に隅立て折り入り井筒

丸に折れ井筒

陰隅立て井筒

石持地抜平井筒

丸に結び井筒

組合わせ細井筒

隅立て太井筒

陰陽重ね井筒

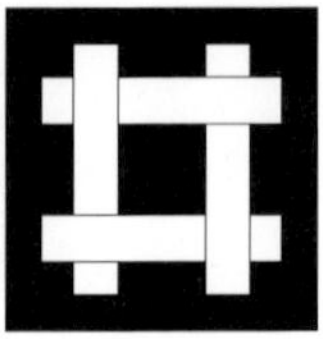
組平井筒

隅立て井筒崩し

組合わせ井筒

丸に隅立て太井筒

違い井筒

丸に持合平井筒

七宝崩しに井筒

糸輪に五角井筒に轡

平井筒に釘抜

井筒崩し

隅立て七つ割井筒崩し

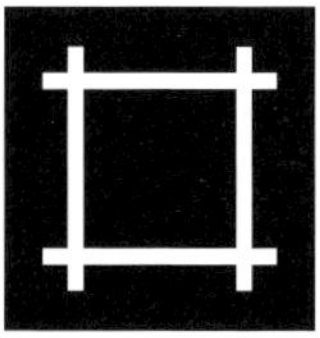

彦根井筒（細平井桁）

重ね六方井筒

隅立て井筒に左三つ巴

井筒崩し

折り入り井筒

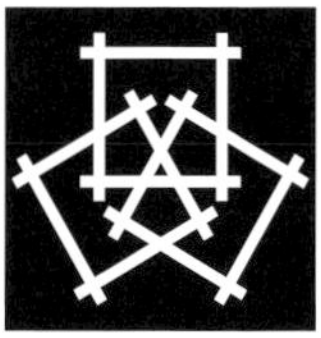

三井家三つ井筒

六角井筒に蛇の目

隅立て井筒に三つ星

平井筒崩し

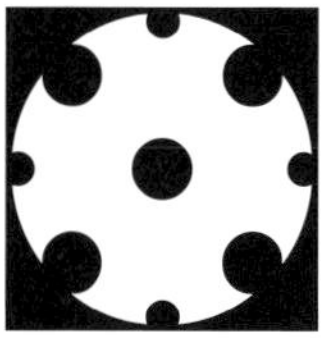

丸形井筒

業平井筒

七角井筒に三つ巴

丸に隅立て井筒に三つ星

六角花井筒

石持型井筒崩し

丸に井文字

八角井筒に井桁

丸に隅立て井筒に三つ星

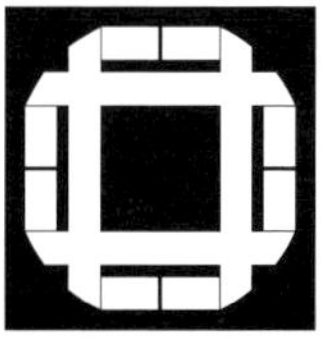

折り平井筒

輪違い井筒

井文字

組合わせ井筒に四つ目

五方井筒星

変わり折り込み井筒

三角井筒

垣《かき》

垣（垣根）は敷地の内と外を隔てる境界線（壁）。玉垣（たまがき）、瑞垣（みずがき）、斎垣（いみがき）は神社や神域に用いられる。

主な使用家

大岡氏
鷹野氏

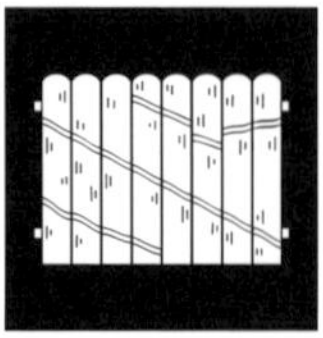
竹垣

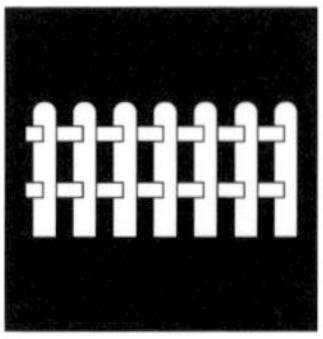
七本瑞垣

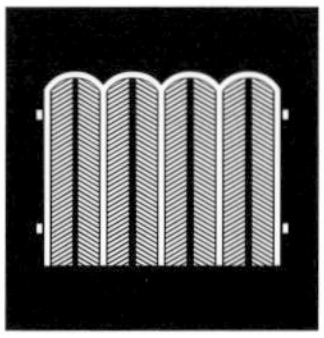
唐檜垣

玉垣馬轡

常磐垣

大岡越前守

懸魚《けぎょ》・六葉《ろくよう》

六葉は、懸魚（けぎょ・けんぎょ）や長押（なげし）、扉の釘隠しに用いられる六角形の飾り金具である。

主な使用家

水野氏

六葉

六角三つ割六葉

丸に六葉

懸魚に十六葉菊

六曜懸魚

六葉に抱茗荷

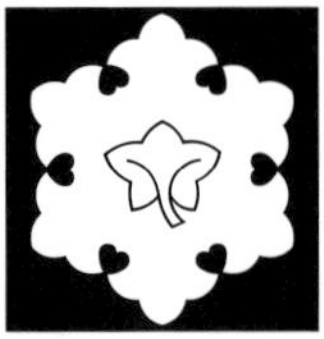
裏六葉

六葉に山文字

割六葉菱

水野家六葉

中陰三つ割六葉

水野家剣形六葉

直違《すじかい》

直違は建築補強材で、柱と柱の間を斜めに入れる。実際は、食事に用いる箸や、門前に組む死者封じ（呪符）の竹など諸説ある謎の紋。

主な使用家

丹波氏
松田氏
河内氏
宮寺氏

直違

四つ組直違

丸に直違

六つ組直違

丸に右重ね直違

変わり直違

三つ組直違

九字直違菱

丸に子持三つ組直違

直違に一文字

組直違

丹羽家直違

鳥居《とりい》

鳥居の起源や語源は諸説あり、不明な点が多い。紋章として用いられたのは、信仰や結界としての役割があったと思われる。

主な使用家

位田氏
鳥居氏
大久保氏
宇都野氏

鳥居

丸に神宮鳥居

糸輪に三つ組神宮鳥居

鳥居に二本杉

鳥居垣に巴

山本家鳥居

その他

岩苔紋は分類しづらい紋。幟に用いられた五輪塔紋や、寺院の橋に用いられた欄干紋、「身を尽くす」に通じる澪標紋などがある。

丸に変わり澪標

千木堅魚木

中嶋家岩苔

一つ浪に澪標

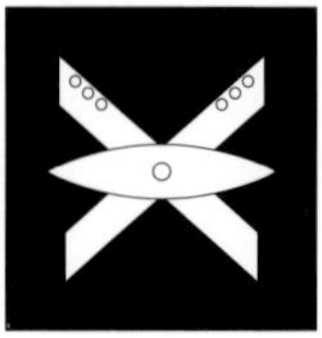
大洲堅魚木

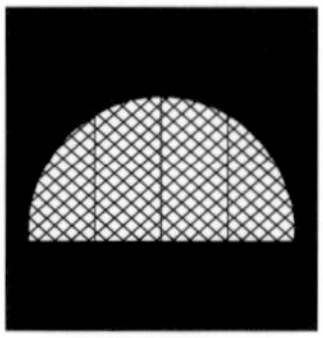
蛇籠追州流し

丸に澪標

ほいのし（鮑石）

保田家追州流し

欄干丸

三つほいのし（三つ独楽）

五輪塔

欄干丸に違い鷹の羽

木下家独楽

井田

欄干丸に片喰

澪標

千木

第6章 文様紋

古くから描かれる文様（幾何学文様など）を
紋章化したものである。
家紋になった経緯が不明なものも多い。

主な文様紋と特徴

巴紋（249頁）は謎が多い。古くから世界各国で類似した文様が見られ、日本でも縄文時代からその痕跡が残る。

最も悩ましいのは「回転方向」である。巴の丸い部分を「頭」、細い部分を「尾」という。紋章上絵師はその筆の運びで、頭から尾にかけて進行方向が反時計回りを「左巴」、時計回りを「右巴」と称した。

巴紋の由来は、鞆絵《ともえ》、蛇のとぐろ、勾玉、雲、胎児など諸説ある。

たとえば、家紋に用いられる巴は「雷」を表わすという説。中国の文様には小槌で太鼓を叩く「雷神」が見られ、巴に似た雷が描かれる。家紋に用いられる巴は「御神楽ノ儀」による雅楽の大太鼓に触発されて生まれたもの。頭の部分が太鼓の打点、つまり雷の発生を示し、尾の部分は光や轟音を示すと推測できる。

こんな説もある。神社や寺院で見られる巴紋は神楽に発祥。民家などの瓦に刻まれる巴は「水の渦」を表わし、防火の意味が込められている。

八坂神社の神紋や織田家の家紋としても有名な**木瓜紋《もっこう》**（234頁）も謎が多い。いくつかの説を紹介する。なお、木瓜紋は紋帖では「瓜《か》紋」と「木瓜紋」に分類される。

瓜紋の基本は「五瓜に唐花」である。外枠の増減により、三つ瓜、六つ瓜、八つ瓜になる。ただし、四つ瓜は「四方木瓜」という名称に変わる。これを菱形にすると「木瓜」になる。

本来、「瓜」は「窠《か》」と書く。これは、かつて木の上につくる鳥の住み家を「巣」と呼び、地上につくる水鳥の住み家を「窠」と呼んだことに由来する。

「木瓜」はどうか。「平安時代に寺院や役所などの御簾《みす》や御帳の周囲に巡らした絹布の帽額《もこう》にある模様を『御簾の帽帳の文』と呼び、この帽帳の音から転じた」というのが定説である。

俗説としては、「木瓜《きうり》」「胡瓜《きゅうり》の切断面」「木瓜《ぼけ》の切断面」が知られる。たしかに胡瓜は「木瓜」と書いた。ただ、胡瓜の切断面は木瓜紋と似ていない。ちなみに、「胡」はシルクロードを渡ってきたことを示す（胡人とはペルシャ系民族のソグド人のこと）。

中国、台湾で「木瓜」といえば、「花梨《カリン》」であり、それぞれ「モークワ」「ボッコエ」と発音し、モッケやボッカに訛ったという説もある。一方で、中国の「番木瓜」はパパイヤを意味するが、パパイヤの切断面は木瓜紋に酷似する。

そもそも、瓜・木瓜紋は「瓜」「鐶」「唐花」から構成されている。唐花は大陸からの伝来、鐶は大陸から伝来した製鉄を示していると推測できる。しかし、いまだに瓜だけが不明である。

多くの公家が用いた**唐花紋・花角紋・花菱紋**（239頁・241頁・242頁）は、紋帖ではそれぞれ区別されている。五弁のものを「唐花」、四弁のものを「花角」という。「花菱」は花角を菱形にしたものだ。唐花は実在する花ではない。唐花紋は中国伝来の創作された花文様である。

花角紋は江戸期の紋帖を見ると、「四方花菱」と書かれている。このことから、花菱紋の派生である可能性が高い。徳大寺家の家紋（徳大寺家花角）は窠紋（木瓜紋）が源流といわれ、三条家や滋野井家をはじめとする一族（12家）が花角紋を用いるため、窠文様を取り入れた花角紋を発展させた（＝花菱紋）と考えられる。

「唐花菱」とも呼ばれる花菱紋は、その使用諸氏からも**菱紋**（254頁）と近い関係にあるだろう。ちなみに、甲斐の武田氏は「武田菱」と呼ばれる菱紋で有名だが、もともと花菱紋を用いていた。

紋帖では「引《ひき》紋」と呼ばれる**引両紋**（253頁）。引両は、引龍、引領、引料、引輛、引両筋など、名称は一定しない。両とは、霊のこと（日月を表わす）、龍のことなど、由来もさまざまである。『平家物語』で、矢を防ぐ母衣《ほろ》に「二つ引両」が描かれている。このことから、引両は結界を表わし、呪術的な要素を持っていたといえる。陣幕に二つ引両を用いてきたことも、その説の根拠になるだろう。

引両紋は、文様から家紋になると、丸輪の中に引かれることが多くなった。もしくは「領土（丸）に線を引く」という意味があるかもしれない。いずれにしても、敵から身を守るという意味が込められていると考えられる。

なお、「新田家一つ引」は「大中黒」とも呼ばれるが、中黒は「矢羽」の模様であり、その一種なので、本来は引両紋とは区別されるべきである。

本来、**亀甲紋**（245頁）は「一重」の亀甲を指したが、内側に細い亀甲を入れた「子持ち亀甲」が広まったことで、亀甲といえばこれを指すようになった。紋帖では、本来の亀甲を「一重亀甲」と称して区別する。なお、「二重」の亀甲は、内側に同じ幅の亀甲を入れたもの。これは、「入れ子」と称されることもある。

七宝紋（247頁）の内に唐花を入れたものを「花《はな》輪違《わちが》い」という。もともと「輪違い」と呼ばれていたが、輪違い文様の登場で、花輪違いと改められた。輪違いは、二つ以上の輪が交差して組み合った文様を指す。輪違い文様が現われたのは江戸時代に入ってからだが、それまで輪違い文様といえば「花輪違い」（七宝花角）だった。

石畳《いしだたみ》・石《いし》

石には魂が宿ると信じられていた。奈良時代は石畳文様、平安時代は霰（あられ）文様、江戸時代は市松文様と呼ばれた連続文様。

主な使用家

薬師寺氏
梶原氏
安富氏
平瀬氏

丸に五つ寄せ石

四つ重ね石

丸に陰陽立て三つ石

丸に一つ石

細輪に六つ積み石

変わり四つ石

四つ石

三つ石

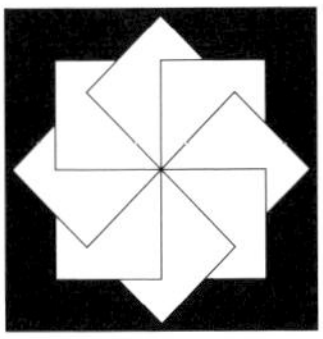
石車

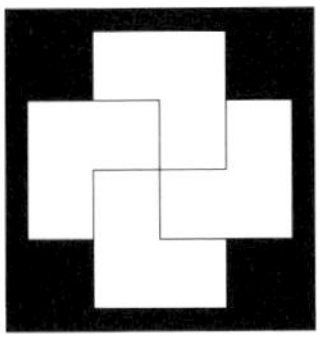
重ね石

石持地抜四つ石

丸に三つ石

繋ぎ平九つ石

四つ石車

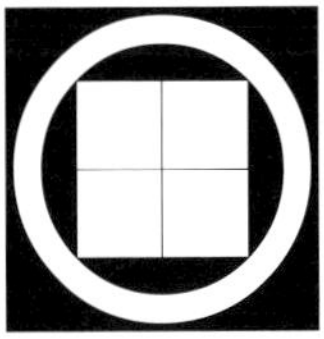
丸に平四つ割石

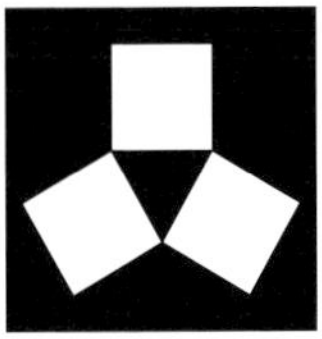
三つ寄せ石

繋ぎ九つ石

丸に平五つ石

丸に隅立て四つ割石

丸に三つ寄せ石

糸輪に三つ割三つ石

糸輪に隅立て五つ石

総陰丸に隅立て四つ石

立て三つ石

鱗《うろこ》

鱗紋は正三角形や二等辺三角形の連続文様で、その文様から蛇や龍の鱗が連想されて、この名がついた。

主な使用家

緒方氏
北条氏
平野氏

七つ繋ぎ鱗

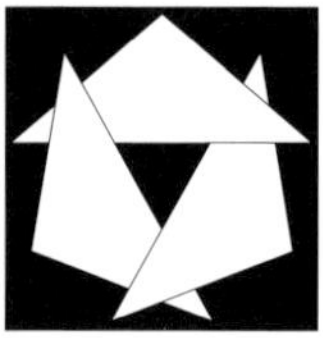
三つ組合わせ鱗

三つ鱗

一つ鱗

丸に一つ引に三つ鱗

陰陽三つ組合わせ鱗

丸に三つ鱗

二つ鱗

剣三つ鱗

三つ盛三つ鱗

糸輪に陰三つ鱗

二重輪に二つ鱗

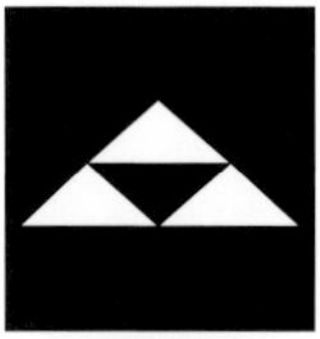
北条家鱗

五つ鱗車

石持地抜三つ鱗

総陰丸に二つ鱗

陰北条家鱗

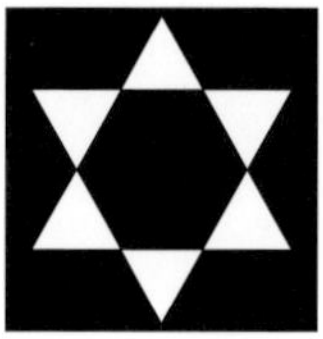
六つ鱗

糸輪に豆三つ鱗

丸に対い鱗

赤垣家鱗

細輪に六つ鱗

菱に隅合わせ三つ鱗

糸輪に陰陽重ね鱗

瓜（窠）《か》・木瓜《もっこう》

紋帖では瓜紋と木瓜紋は区別されるが、一般的に木瓜紋と呼ばれている。分類について明確な答えを出せない紋の一つ。

主な使用家

朝倉氏
秋元氏
織田氏
滝川氏

剣五瓜に唐花

花形五瓜

石持地抜五瓜に唐花

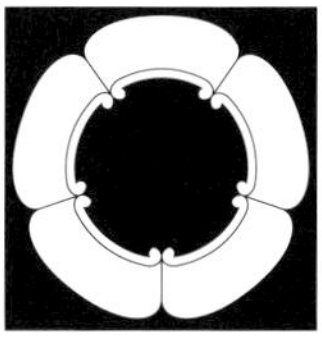
五瓜

五瓜胡蝶

五つ捻じ瓜

三つ盛五瓜

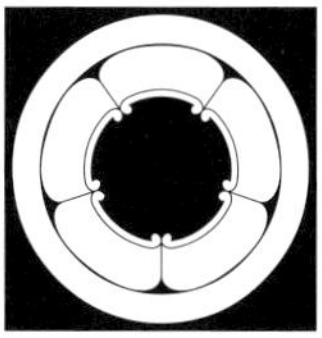
丸に五瓜

瓜桐

捻じ五瓜に唐花

二つ割瓜

五瓜に唐花

三つ瓜に三つ唐花

痩せ五瓜に鬼唐花

三つ割五瓜

丸に五瓜に唐花

六つ瓜に六つ唐花

五瓜崩し

唐五瓜

陰五瓜に唐花

八つ瓜に八つ唐花

蔓五瓜に唐花

唐五瓜に唐花

中陰五瓜に唐花

木瓜

織田家瓜（織田木瓜）

変わり瓜に三つ巴

五瓜に丸に二つ引

五瓜に二つ算木

丸に木瓜

織田家細瓜

ヒセ瓜

五瓜に違い矢

五瓜に上文字

陰木瓜

太田家瓜

鷹取家瓜

五瓜に桔梗

五瓜に釘抜

中陰木瓜

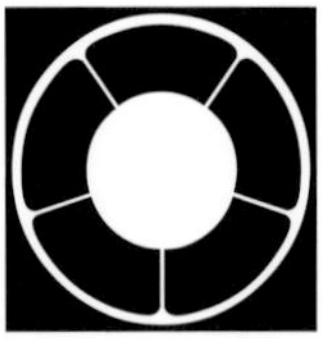
三井家瓜

柴村家瓜

五瓜に三つ地紙

五瓜に丸に十文字

石持地抜木瓜

相良家瓜

秋元家瓜

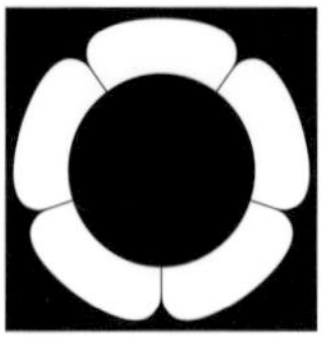
一重五瓜

五瓜に一文字に三つ鱗

地抜木瓜

米田家瓜

大村家瓜

一重五瓜に木瓜

五瓜に一つ鷹の羽

陰四方木瓜

雲木瓜

三つ割木瓜

中輪に太木瓜

菱に木瓜

石持地抜四方木瓜

木瓜崩し

三つ割六角木瓜

剣木瓜

折り入り菱に木瓜

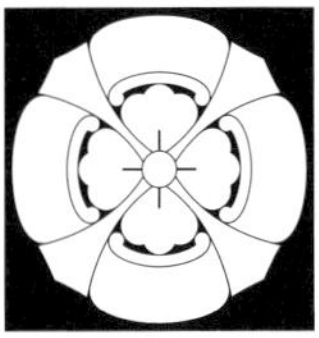
剣四方木瓜

変わり木瓜崩し

三つ割隅切木瓜

蔓木瓜

松皮菱に木瓜

鐶木瓜

三つ割木瓜崩し

上下対い木瓜菱

唐木瓜

三つ盛木瓜

唐鐶木瓜

四方木瓜

木瓜菱

糸輪に覗き木瓜

糸輪に三つ寄せ木瓜

木瓜に二つ引

丸に四方木瓜

木瓜巴

割木瓜

糸輪に立て木瓜

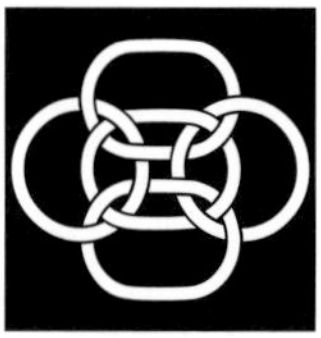
金輪木瓜

琴柱に木瓜

垂れ角に出木瓜

木瓜形

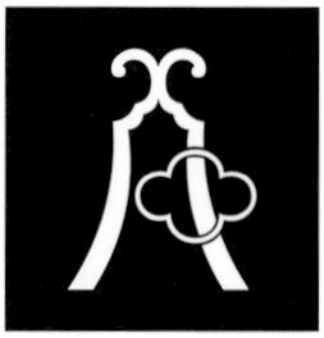
琴柱に木瓜形

山形に木瓜

三つ木瓜形

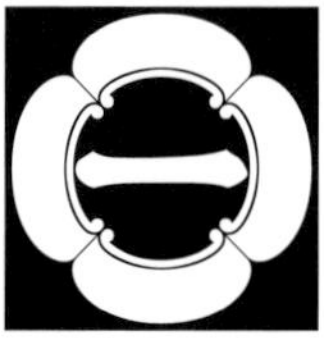
四方木瓜に一文字

庵木瓜

中津家木瓜

四方木瓜に丸の内に二つ引

盃庵木瓜

板倉家木瓜

三つ結び木瓜

木瓜に四つ目

堀田家木瓜

三つ組合木瓜

陰木瓜に三つ巴

角《かく》・角持《かくもち》

角紋は主に紋の輪郭（方形枠）として用いられる。角持紋は石持紋（206頁）からの派生したものと思われる。

主な使用家

不特定多数

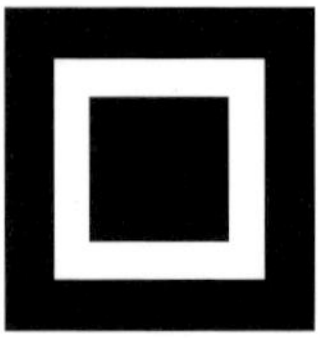
平角

太平角

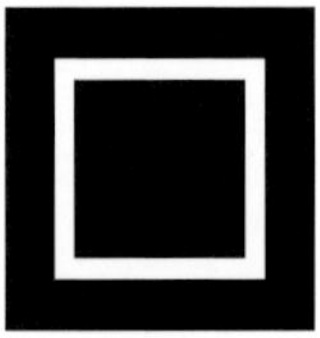
中平角

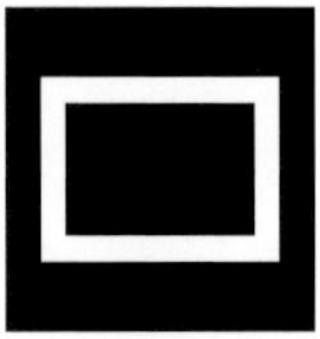
垂れ角

丸に垂れ角

反り平角

子持隅入り角

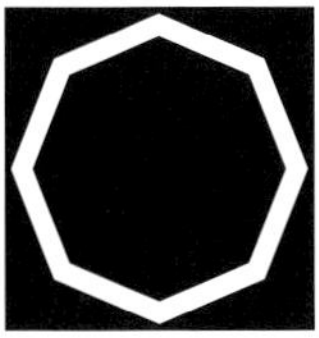
隅立て八角

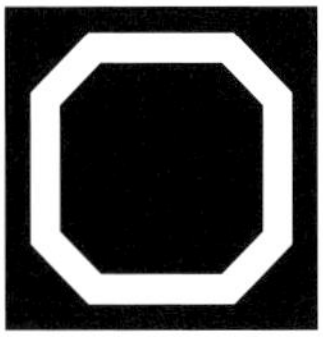
平隅切角

隅立て反り角

隅立て角

隅入り蔓角

反り八角

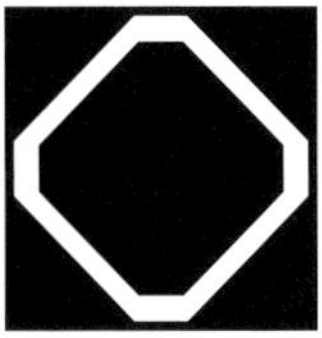
隅切角

鉄砲角

細隅立て角

隅切平反り角

揺り角

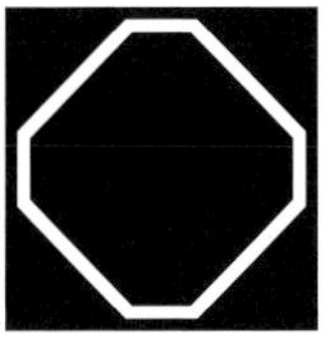
細隅切角

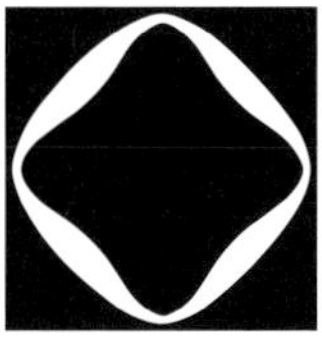
彪み角

糸輪に隅立て子持角

隅入り平角

隅切反り角

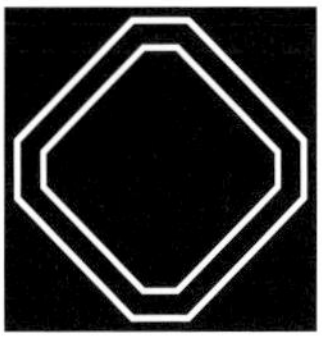
陰隅切角

石持地抜隅立て角

三味胴角

内隅切平角

隅入り角

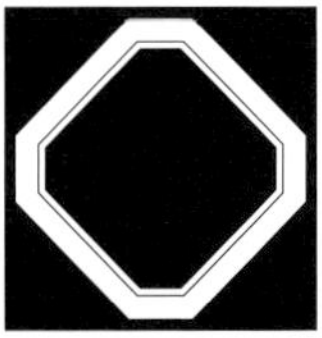
子持隅切角

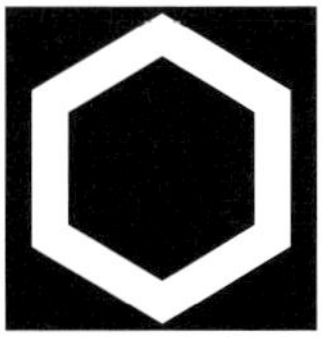
六角

隅立て撫で角

内隅入り平角

細隅入り角

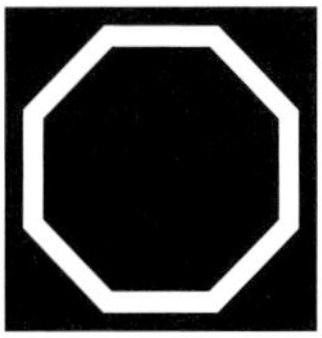
八角

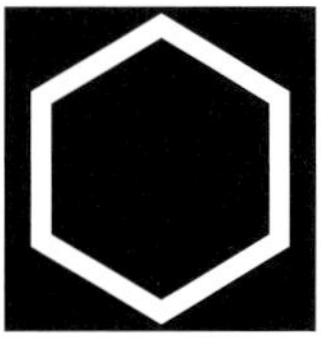
細六角

反り撫で角

糸輪に五つ組角

隅立てと垂れ角違い

子持雁木角

反り入り角

太夫角

八つ組角

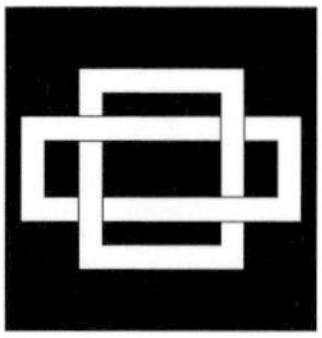
変わり組合わせ角

組合角

中入り角

持合変わり隅入り角

結び角

陰違い垂れ角

違い角

隅入り込み角

隅切鉄砲角

角輪違い

三つ盛組角

細違い角

隅立て折り入り角

隅入り鉄砲角

平隅切角に違い鷹の羽

丸に三つ組角

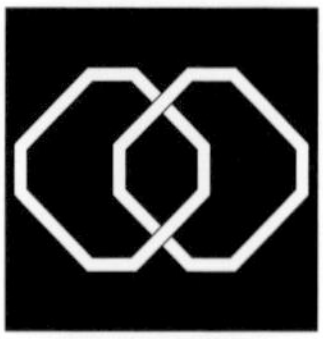
違い隅切角

寄せ角

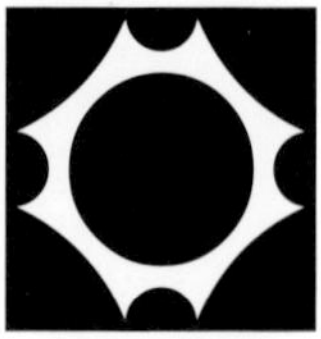
反り込み鉄砲角

隅切角に桔梗

三つ組隅切角

寄せ掛け隅切角

雁木角

華形角

唐花《からはな》・花角《はなかく》
花菱《はなびし》

唐花は中国伝来の花文様（実在する花ではない）。花弁が四弁のものが花角で、それを菱型にしたものが花菱である。

主な使用家

三条氏
武田氏
萱生氏
東條氏

唐花

丸に唐花

陰唐花

中陰唐花

石持地抜唐花

細五つ鐶輪に唐花

角持

隅切鉄砲角に万字

隅切角に重ね扇

隅立て角持

隅入り鉄砲角に三つ柏

隅入り角に隅立て四つ目

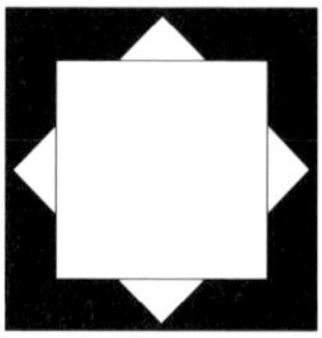
重ね角持

隅入り鉄砲角に抱柏

隅入り角に七宝

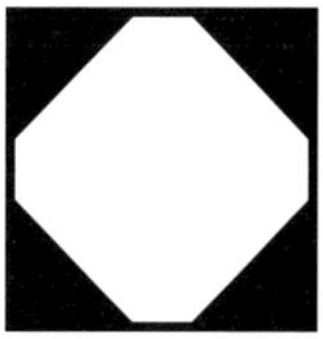
隅切角持

折り入り角に三つ巴

隅入り蔓角に三つ雁金

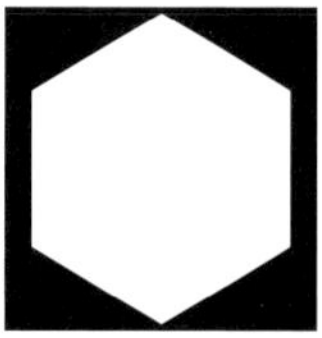
六角持

組合角に釘抜

隅切蔓角に星梅鉢

隅入り角持

組合角に左三つ巴

隅切角持地抜丸に三つ引

中陰横見唐花

香い剣唐花

裏唐花

三つ割反り唐花

八重唐花

三つ横見唐花

変わり唐花

総陰裏唐花

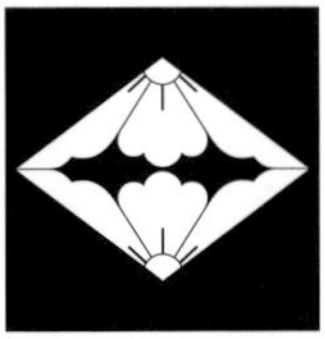
上下対い唐花菱

剣唐花

中輪に覗き唐花

六つ唐花

陰裏唐花

三つ盛唐花

蔓唐花

揚羽唐花蝶

丸に六つ唐花

中陰裏唐花

三つ尻合わせ唐花

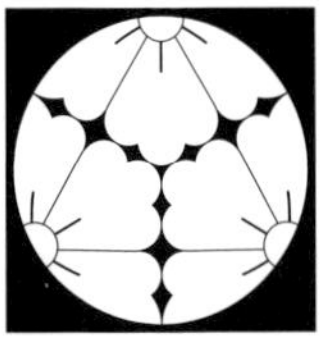
三つ割唐花

揚羽唐花蝶

横見唐花

痩せ唐花

鬼唐花

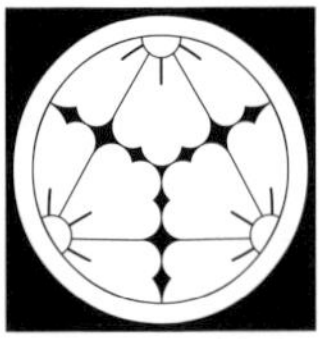
中輪に三つ割唐花

唐花飛び蝶

横見唐花

離れ唐花

丸に鬼唐花

陰三つ割唐花

三つ盛花角

花角

変わり浮線綾唐花

蔓唐花桜

中陰唐花飛び蝶

四つ花角

丸に花角

三つ割唐花に剣花菱

唐花枝丸

唐花胡蝶

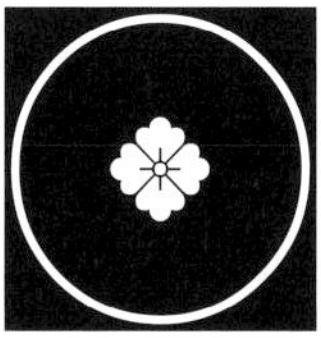
糸輪に豆花角

陰花角

変わり唐花に左三つ巴

枝唐花

唐花蝶

八重花角

太中陰花角

有馬家唐花

変わり枝唐花

浮線唐花

鬼花角

石持地抜花角

織田家唐花

利休唐花

唐花桐

四つ割鬼花角

四つ割花角

三井家変わり唐花

浮線綾唐花

結び唐花

太菱に花菱

花菱

変わり蔓花角

陰剣花角

尖り花角

菱持地抜花菱

丸に花菱

徳大寺家花角

蔓花角

四つ尖り花角

三つ花菱

陰花菱

三条家花角

糸輪に蔓花角

四つ目形花角

三つ寄せ盛花菱

中陰花菱

滋野井家花角

浮線綾花角

裏花角

三つ盛花菱

石持地抜花菱

三須賀花角

花角崩し

剣花角

四つ花菱

菱に花菱

三木家花角

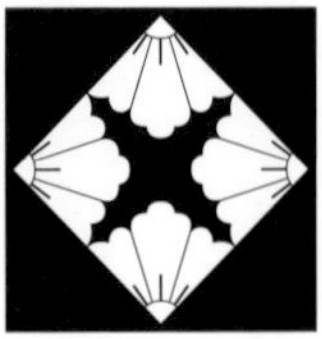
隅立て四つ割花角

丸に剣花角

中陰剣花菱

横見花菱

中陰尖り花菱

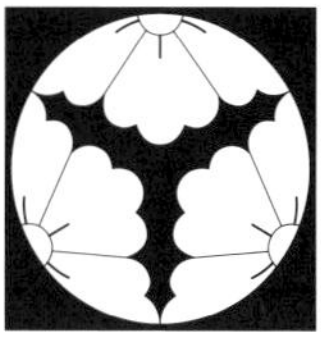
三つ割花菱

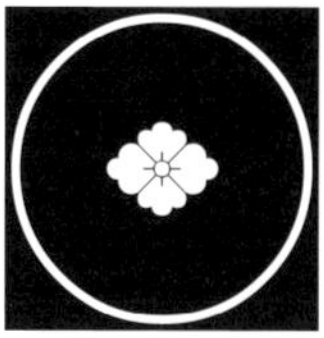
糸輪に豆花菱

石持地抜剣花菱

葉付横見花菱

鬼花菱

中陰三つ割花菱

中陰変わり花菱

丸に出剣花菱

三つ横見花菱

丸に鬼花菱

外向き三つ割花菱

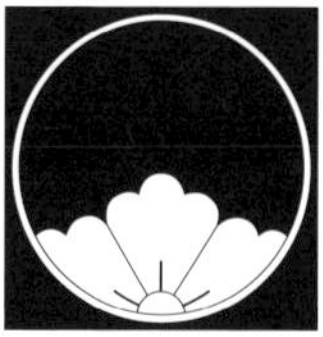
糸輪に覗き花菱

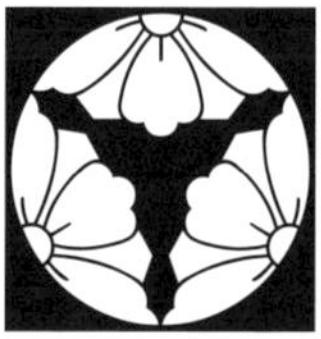
三つ割剣花菱

三つ寄せ基花菱

陰鬼花菱

六角割花菱

菱に覗き花菱

三つ割剣花菱崩し

剣花菱

菱に四つ鬼花菱

隅立て四つ割花菱

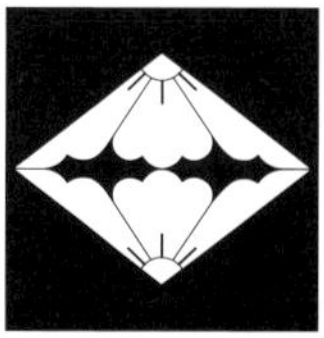
上下対い花菱

六つ剣花菱

丸に剣花菱

痩せ鬼花菱

むくみ花菱

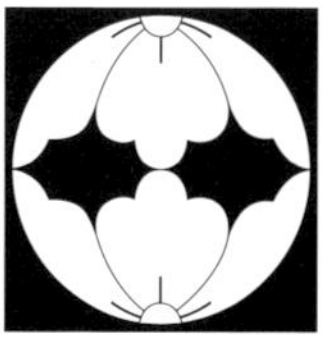
割花菱

蔓枝花菱

朧花菱

杏葉花菱

花菱蝶

蔓花菱

花菱枝丸

利休花菱

変わり杏葉花菱

花菱胡蝶

陰蔓花菱

変わり花菱枝丸

有織花菱

割花菱車

三つ寄せ花菱蝶

変わり蔓花菱

乱れ割花菱

変わり二つ剣花菱

三つ捻じ花菱

浮線花菱

変わり三つ蔓花菱

花菱巴

雲形花菱

五つ捻じ花菱

中陰浮線花菱

蔓結び花菱崩し

松皮菱に花菱

丸に雪持花菱

平四つ割花角に花菱

鬼花菱鶴

三方花菱

亀甲《きっこう》

亀甲紋は正六角形の連続文様で、ハニカム（蜂の巣）構造に似ている。長寿で縁起物の亀を連想させるため、家紋に用いられた。

主な使用家

二階堂氏
小田氏
浅井氏
遠藤氏

丸に割亀甲花角

亀甲花角

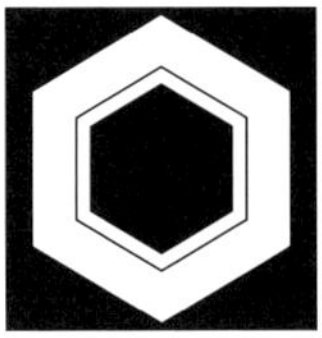
亀甲

松葉菱に花菱

丸に上下割亀甲花角

丸に亀甲花角

丸に亀甲

三つ割花菱に剣片喰

隅切鉄砲菱に持合三つ盛亀甲花角

陰亀甲花角

三つ盛亀甲

多々羅花菱

糸輪に豆亀甲花角

三つ盛亀甲花角

丸に三つ盛亀甲

郡山花菱

糸菱に覗き亀甲花角

持合三つ盛亀甲花角

丸に並び日向亀甲

吉田家花菱

亀甲花菱

太丸に持合三つ盛亀甲花角

積み日向亀甲

柳沢家花菱

三つ持合一重亀甲

細亀甲に豆花菱

亀甲に木文字

持合三つ割亀甲花菱

丸に亀甲花菱

一重亀甲花角

長亀甲

三つ盛亀甲に三つ星

亀甲に違い鷹の羽

陰亀甲陰花菱

三つ盛鉄砲亀甲

長亀甲花菱

反り亀甲

亀甲に三つ引

石持地抜亀甲花菱

三つ組合鉄砲亀甲

一重亀甲

反り亀甲

亀甲に三つ盛亀甲花菱

三つ盛亀甲花菱

鉄砲亀甲に三つ盛日向亀甲

違い一重亀甲

反り亀甲に扇

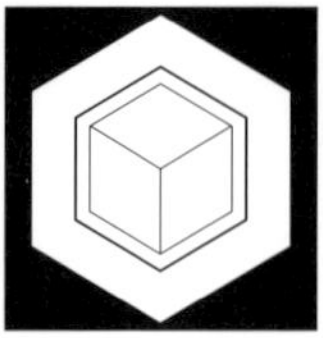
亀甲に三つ菱

持合三つ盛亀甲花菱

三つ鉄砲亀甲崩し

三つ組合一重亀甲

細亀甲

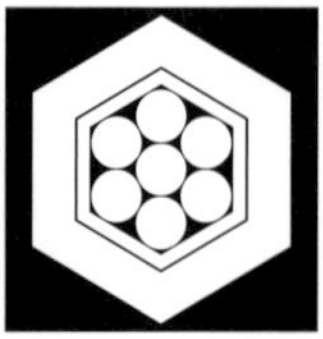
亀甲に七曜

三つ割亀甲花菱

七宝《しっぽう》

「輪違い文様」といわれる連続文様。輪が四方に無限に広がっていくことから、「しっぽう」と名を変えた吉祥文様である。

主な使用家

大岡氏
秋月氏
松浦氏
佐々木氏

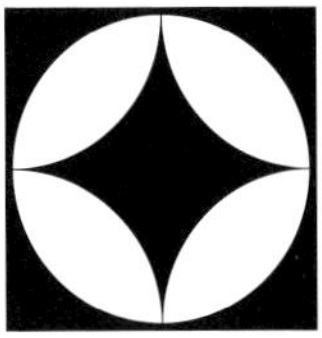

七宝

丸に七宝

陰七宝

中陰平七宝

持合三つ七宝

陰持合三つ七宝

糸輪に二つ亀甲花菱崩し

亀甲崩し片喰

三つ入れ子亀甲

木瓜形亀甲

花亀甲崩し

三重子持亀甲に菰の花

相馬家亀甲

三つ盛一重割亀甲崩し

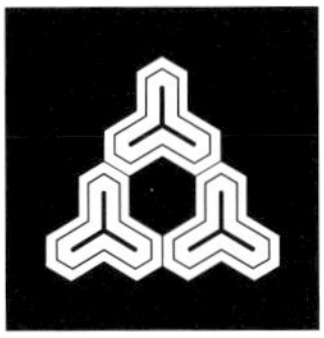

毘沙門亀甲

六郷家亀甲

六方亀甲形

変わり花亀甲

出雲出雲大社

六つ組合亀甲

亀甲崩し

広島厳島神社

六つ組合子持亀甲

変わり亀甲崩し

七宝崩し

中陰星付七宝花菱

総陰七宝花角

中陰七宝花菱

持合四つ七宝

丸に七宝崩し

花付七宝花角

持合四つ七宝花角

丸に中陰七宝花菱

持合九つ七宝

五つ割七宝花角

菱形七宝花菱

捻じ七宝花角

石持地抜七宝花菱

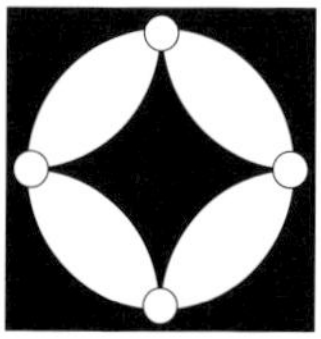
星付七宝

四つ七宝陰花角

割七宝菱花菱

七宝反り花角

七宝に鬼花菱

蔓付七宝

七宝に大割蔦

陰割七宝菱花菱

中陰七宝反り花角

七宝花角

七宝花菱

陰七宝に桔梗

外割七宝花角

星付七宝花角

丸に七宝花角

丸に七宝花菱

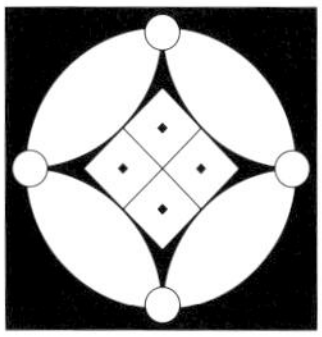
星付七宝に隅立て四つ目

中陰星付七宝に片喰

中陰切七宝に陰剣片喰

秋月家七宝

大岡家七宝

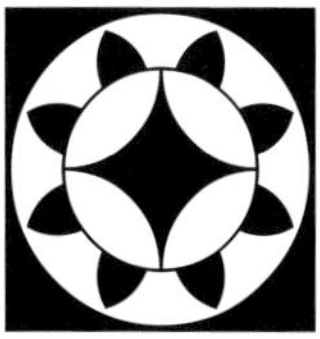
大岡越前守定紋

巴

ともえ

巴は諸説が多く、謎多き文様。発祥は不明で、用いるものでも意味が変わる。家紋では、巴紋は雷を表わしたものといわれる。

主な使用家

小早川氏
赤松氏
有馬氏
長尾氏

丸に左三つ巴

丸に左二つ巴

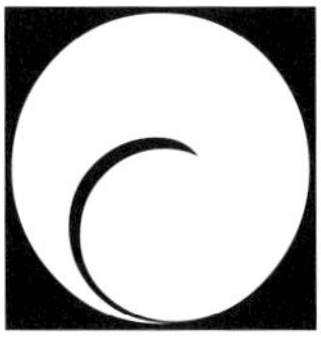
左一つ巴

陰左三つ巴

陰左二つ巴

陰左一つ巴

石持地抜左三つ巴

二重輪に左二つ巴

丸に右一つ巴

右三つ巴

石持地抜左二つ巴

太巴

丸に右三つ巴

右二つ巴

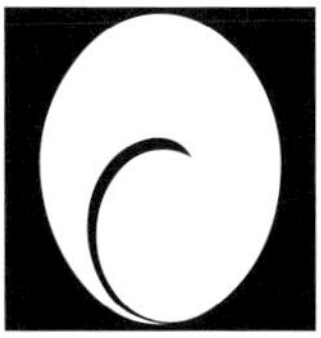
楕円巴

陰右三つ巴

左三つ巴

左二つ巴

二つ組巴

中輪に三つ巴崩し

鞠巴

左角三つ巴

陰一つ菱巴

変わり組二つ巴

対い巴

離れ右三つ巴

折り入り角左三つ巴

二つ巴菱

変わり組二つ巴

丸に違い巴

左一つ細巴

糸輪に豆三つ巴

左三つ巴菱

足上げ二つ巴

輪違い巴

痩せ二つ巴

隅切角に左三つ巴

三つむくみ巴菱

二つ折り巴

組合わせ巴

左二つ尾長巴

重ね左三つ巴

糸菱に左三つ巴

丸に子持抱巴

二つ組合巴

左三つ尾長巴

変わり三つ巴

菱持地抜左三つ巴

玩具巴

陰陽勾玉巴

片喰巴

変わり組巴

抱浪巴

三つ盛左一つ巴

陰陽二つ巴

片喰巴

細組巴

子付三つ巴

巴梅鉢

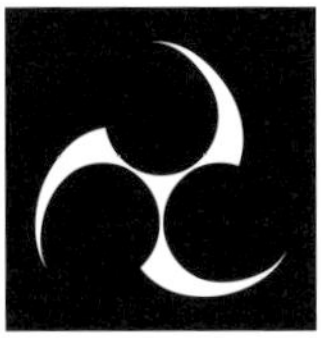
左抜け巴

捻じ巴

左金輪巴

子持左三つ巴

七曜一つ巴

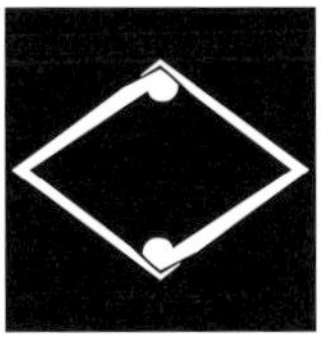
細二つ巴菱

右四つ巴

右金輪巴

結び巴

二葉巴

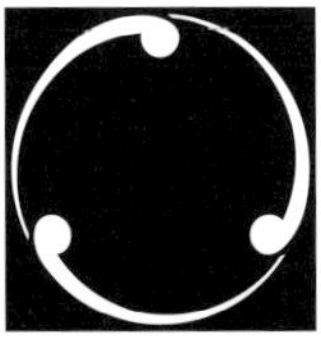
細三つ巴

右五つ巴

五つ金輪巴

組巴

丸に玉巴

違い太鼓巴

勾玉巴

浮線巴

三つ組巴

有馬家巴

七曜巴

剣一文字に左三つ巴

釣左三つ巴

渦巻き巴

京都石清水八幡宮

八曜巴

雲に右三つ巴

剣輪に右三つ巴

台巴

紀伊熊野生神社

九曜巴（板倉家巴）

重ね左三つ巴

糸輪に三つ剣一つ巴

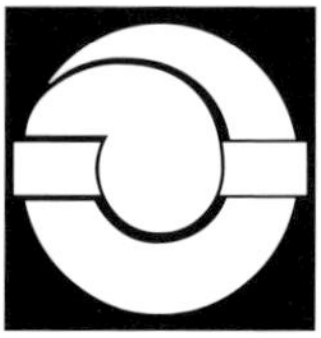
一つ巴に一つ引

京都吉田神社

鱗形九つ右三つ巴

三つ盛左三つ巴

左三つ巴に一文字

二つ巴に一文字

常陸鹿島神宮

菱型九つ左三つ巴

丸に三つ盛左三つ巴

一文字に左三つ巴

二つ巴に違い鷹の羽

糸輪に巴の角字

西園寺家巴

立て三つ並び右三つ巴

二つ引に右三つ巴

団扇巴に花菱

引両《ひきりょう》・引《ひき》

引両紋も謎の紋。「引く」は区切り（結界）の意味がある。「家を守る」という意味から、家紋に用いられたのだろう。

主な使用家

足利氏
新田氏
山名氏
今川氏

丸の内に太二つ引

揃い二つ引

一つ引

丸に出二つ引

丸に二つ引

丸に一つ引

丸に弾き二つ引

陰丸に二つ引

丸に立て一つ引

三つ引

丸に立て二つ引

丸の内に一つ引

丸に三つ引

七つ割二つ引

丸の内に太一つ引

陰丸に三つ引

丸の内に二つ引

丸に出一つ引

巴の丸字

持合巴文字丸

三つ巴文字丸

亀甲形三つ巴文字菱

巴文字丸

巴文字桐

菱《ひし》・松皮菱《まつかわびし》

発祥は不明だが、水草のヒシの葉や実に似ていることからその名がついたといわれる。

主な使用家

武田氏
大内氏
小笠原氏
三好氏

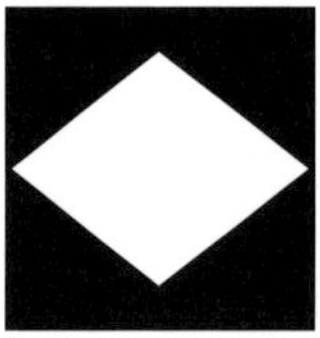
菱持

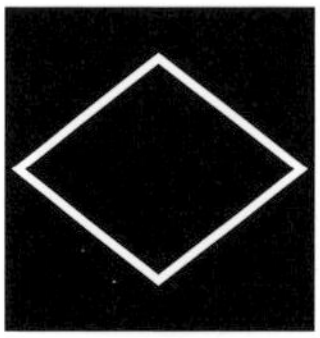
糸陰菱

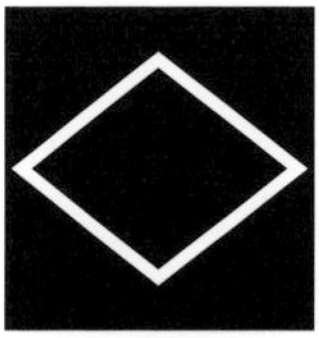
細陰菱

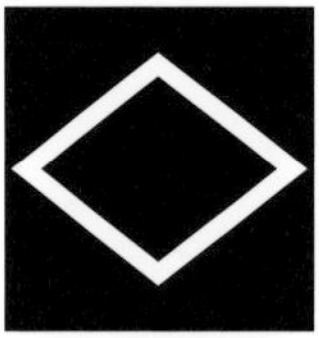
中陰菱

太陰菱

石持地抜菱

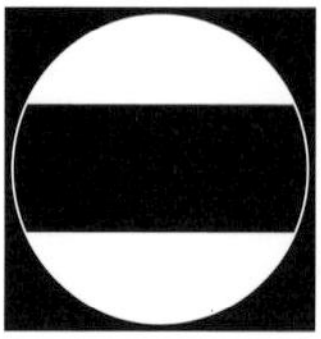
新田家一つ引（大中黒）

隅切角に三つ引

丸に立て三つ引

足利家二つ引

隅切鉄砲角に三つ引

九つ割三つ引

三浦家三つ引

六角に二つ引

丸の内に三つ引

田村家立て三つ引

菱に二つ引

細輪の内に三つ引

分部家三つ引

喰い違い七つ引

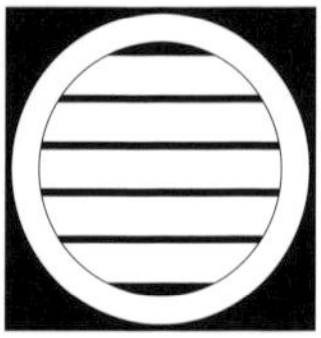
丸の内に五つ引

越前藤島神社

黄紫紅三つ引

隅切角に二つ引

中陰武田家菱

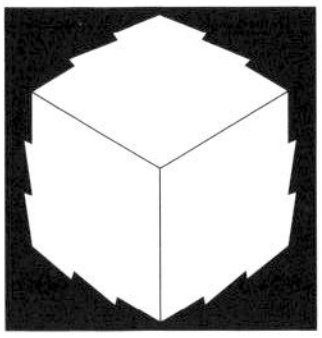
尻合わせ三つ三階菱

三階菱

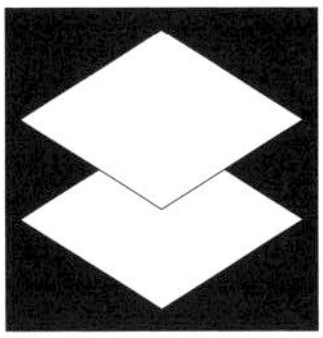
重ね菱

入れ子菱

中陰持合武田家菱

違い菱

丸に三階菱

重ね二階菱

子持菱

幸菱

組合菱

中陰三階菱

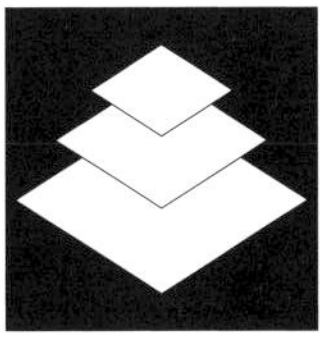
重ね三階菱

反り中陰菱

山口家菱

市松菱

石持地抜三階菱

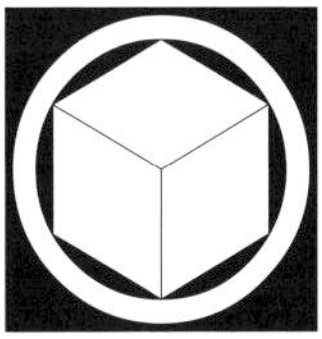
丸に三つ菱

隅入り菱

大内家菱

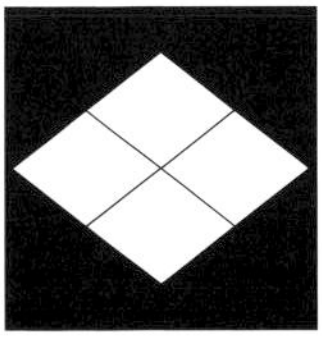
武田家菱

三つ盛三階菱

丸に四つ重ね菱

折り入り菱

兵庫広田神社

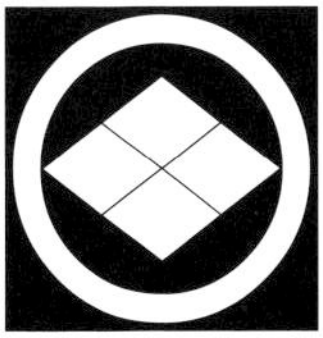
丸に武田家菱

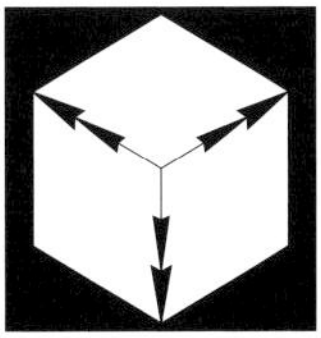
頭合わせ三つ三階菱

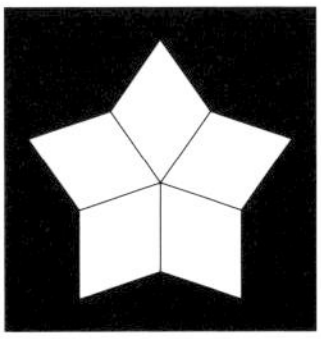
五つ菱

鉄砲菱

松皮菱

細中陰松皮菱

三つ松皮菱

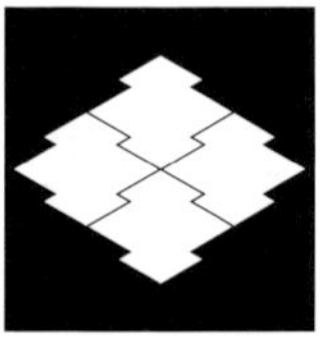
四つ松皮菱

五つ松皮菱

変わり松皮菱

浮線綾《ふせんりょう》

織り糸を浮かせて模様を織った綾織物を浮線綾という。浮線綾紋は特に大型の円の文様を指し、有職文様の一つである。

主な使用家

赤松氏
石野氏
大沢氏
六角氏

浮線綾花角

丸に浮線綾花角

花浮線綾蔓葵

変わり浮線綾花角

浮線綾菊に菊

変わり花菱浮線綾

目結《めゆい》・目《め》

目結は小さな四角形の絞り染めの古称で、鹿の子絞り、疋田（ひった）絞りともいう。目を結ぶように連なっている文様である。

主な使用家

佐々木氏
尼子氏
京極氏
亀井氏

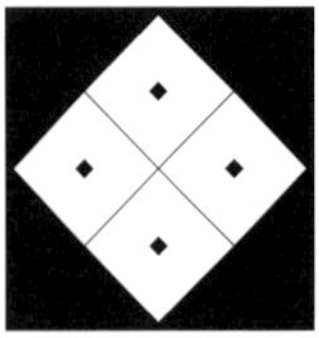
隅立て四つ目

丸に隅立て四つ目

中陰隅立て四つ目

陰丸に陰隅立て四つ目

丸に中陰持合隅立て四つ目

石持地抜隅立て四つ目

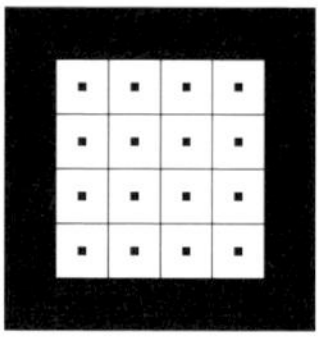
平十六目

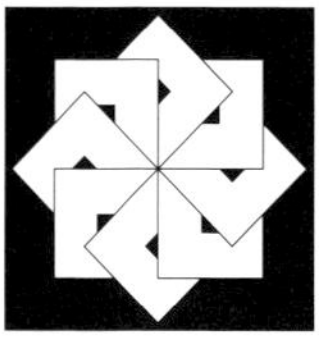
重ね四つ目車

陰捻じ四つ目

七つ割平四つ目

糸輪に豆隅立て四つ目

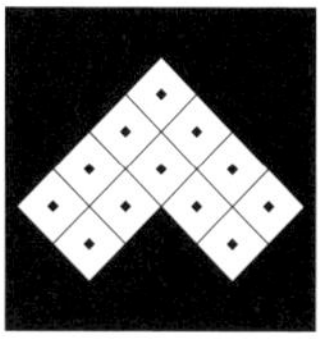
十二目

四つ目車

糸輪に割四つ目

繋ぎ四つ目

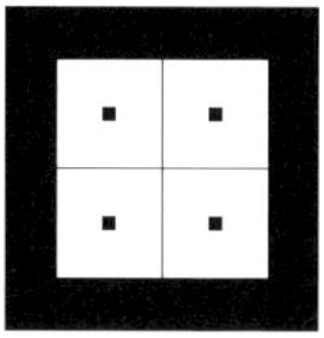
平四つ目

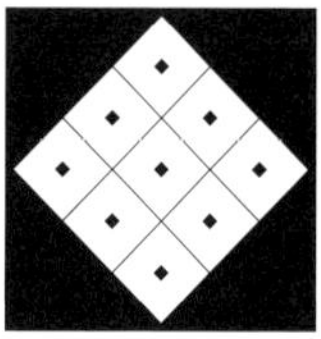
九つ目

陰四つ目車

陰折れ四つ目

繋ぎ隅立て四つ目

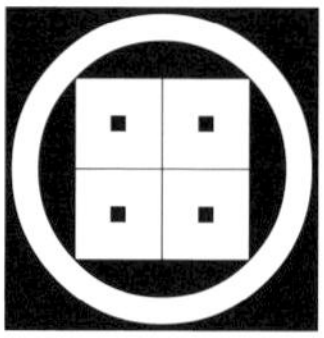
丸に平四つ目

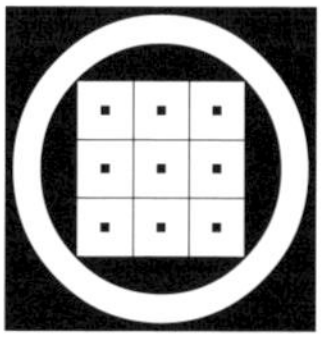
丸に平九つ目

中輪に三つ割四つ目車

陰反り隅立て四つ目

七つ割繋ぎ四つ目

十五割隅立て四つ目

繋ぎ九つ目

剣四つ目

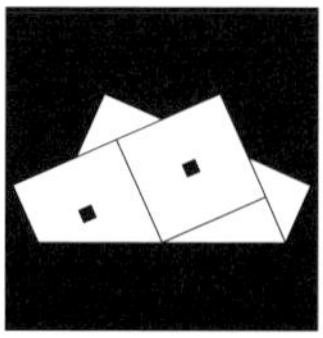
折り四つ目

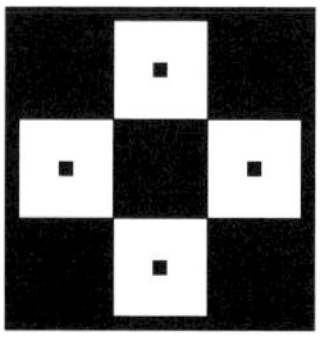
市松四つ目

十一割隅立て四つ目

陰陽繋ぎ九つ目

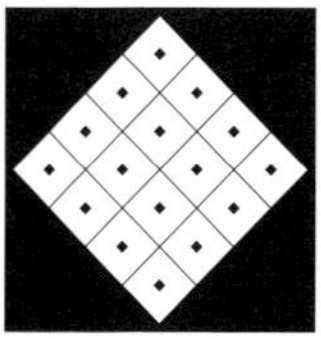
十六目

陰反り折り四つ目

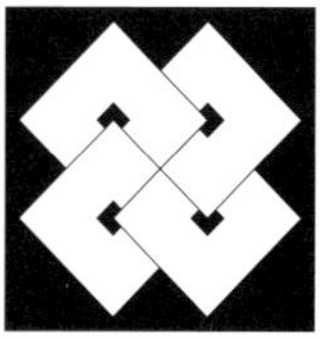
捻じ四つ目

七つ割隅立て四つ目

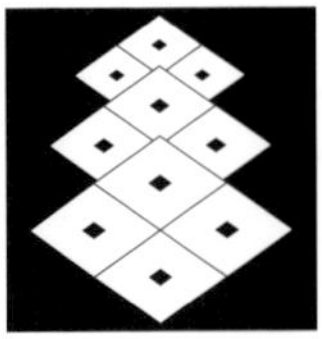
三階四つ目菱

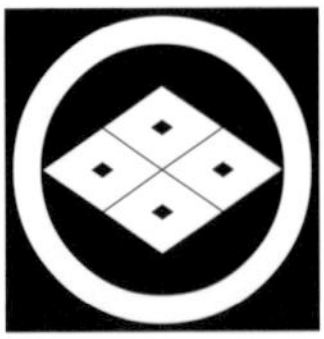
丸に四つ目菱

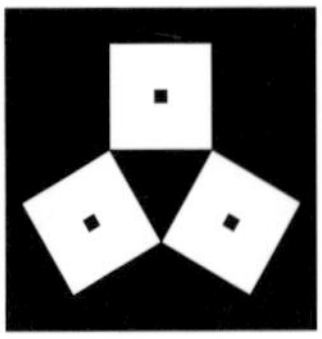
繋ぎ三つ目

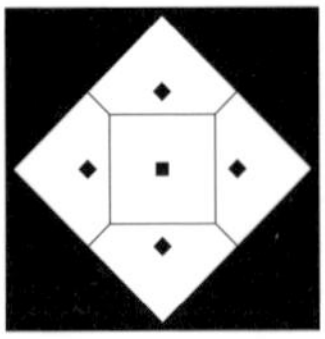
変わり五つ目

丸に八つ目

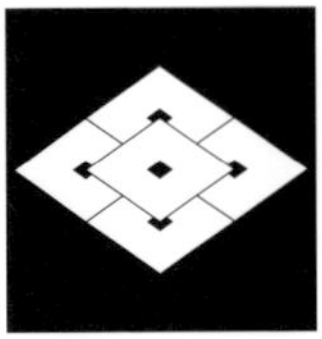
重ね五つ目菱

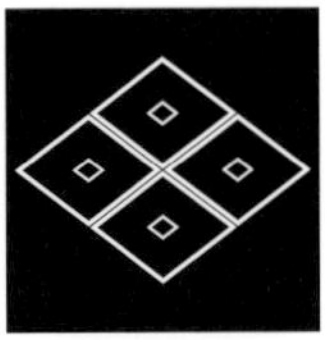
陰四つ目菱

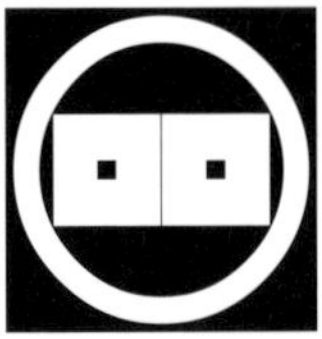
丸に二つ目

繋ぎ五つ目

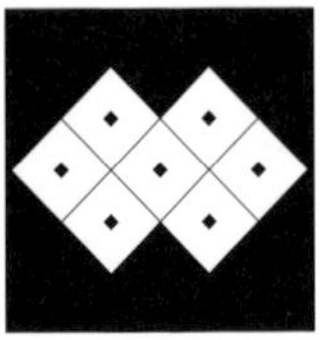
持合四つ目

重ね四つ目菱

糸輪に覗き四つ目菱

丸に繋ぎ二つ目

丸に三つ目

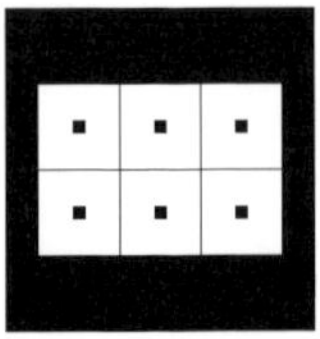
平六つ目

三つ目菱

蔓四つ目菱

隅立て一つ目

三つ目に一つ引

七つ鐶に平六つ目

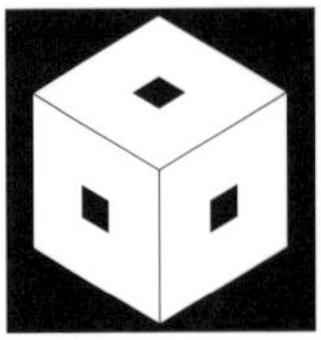
亀甲三つ目菱

桛四つ目菱

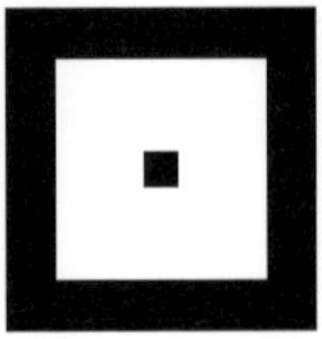
平一つ目

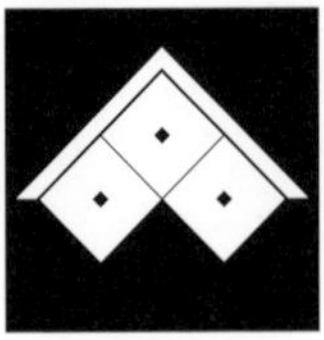
山形に三つ目

繋ぎ六つ目

反り三つ目菱

三つ隅合わせ四つ目菱

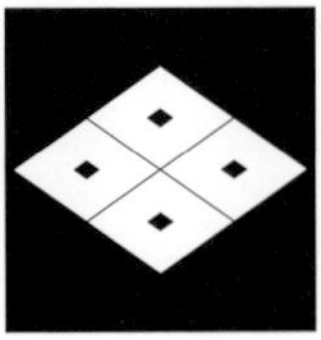
四つ目菱

横重ね三つ目

重ね五つ目

反り四つ目菱

結び四つ目菱

寄懸目結

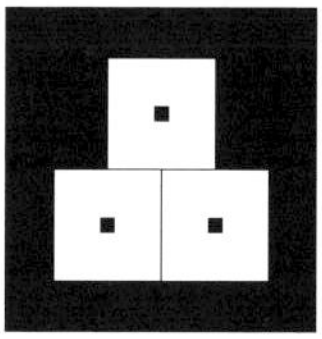

菅沼家三つ目

堀尾家目結

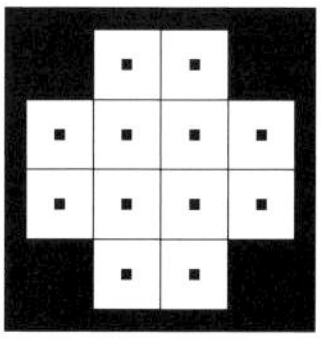

能勢家目結

輪《わ》

円形の輪は主に紋の外枠に用いられる。丸輪紋が基本形である。輪紋単体で用いる諸氏も多い。

主な使用家

安部氏
松平氏
揖斐氏
和田氏

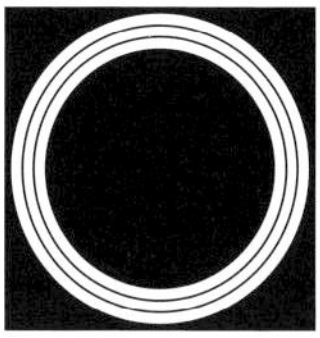

三重輪

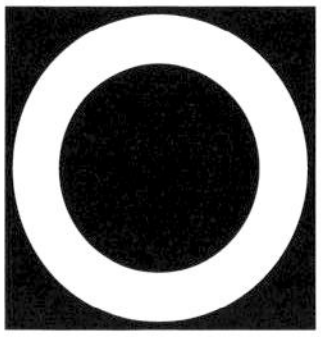

太輪

毛輪

州浜輪

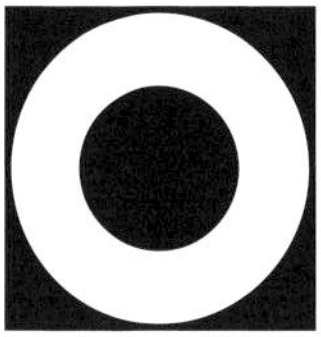

厚輪

糸輪

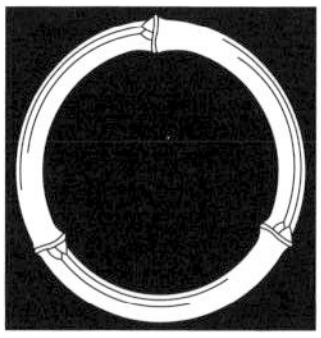

竹輪

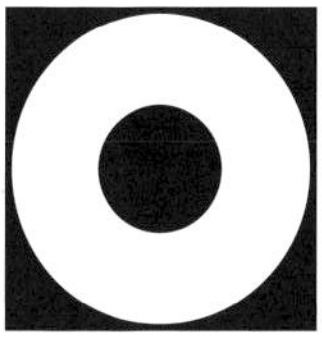

蛇の目輪

細輪

雪輪

陰輪

中輪

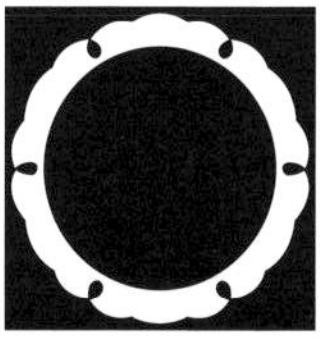

外雪輪

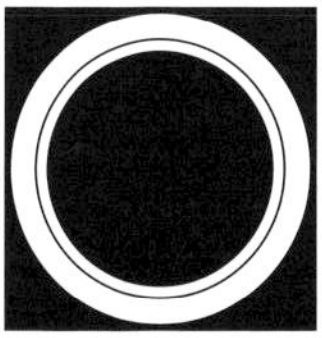

子持輪

丸輪

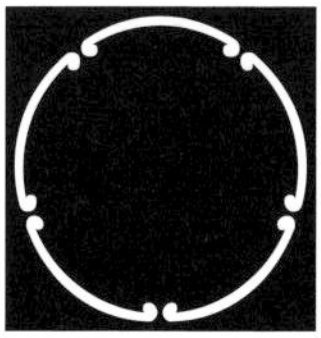

鐶輪

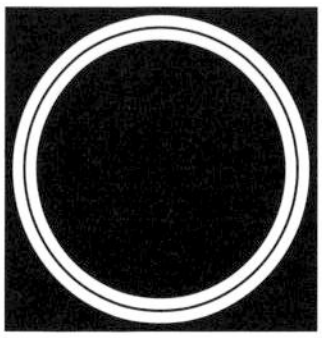

二重輪

中太輪

輪違い《わちがい》

江戸時代に現われた文様だが、それまで輪違い文様といえば花輪違い（七宝花角）だった。区別のために名称が改められた。

主な使用家

脇坂氏
隠岐氏
山角氏
鶴氏

輪違い

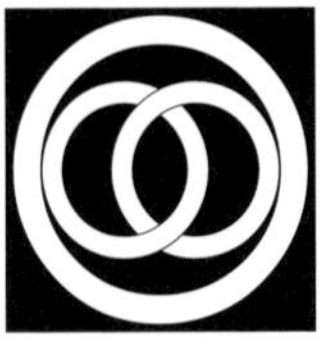
丸に輪違い

中輪に輪違い

石持地抜輪違い

寄せ掛け輪違い

角輪違い

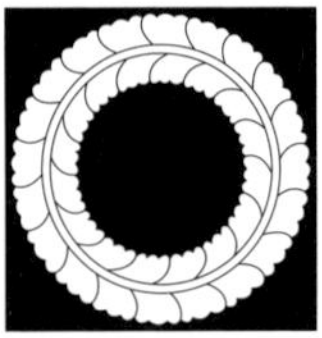
藤輪

唐草輪

菊輪

片藤輪

変わり唐草輪

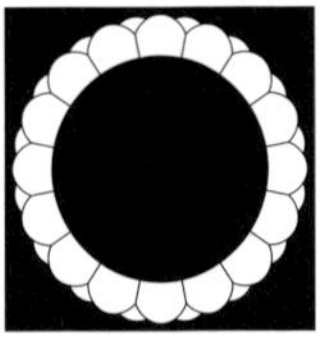
八重菊輪

雁木輪

薄輪

梅輪

細雁木輪

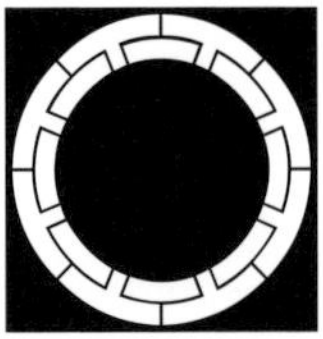
源氏輪

八つ浪輪

朧輪

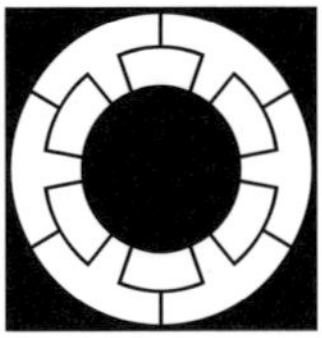
六つ源氏輪

浪輪

光琳梅輪

月輪

浪輪

その他

籠目紋は別名・六芒星という。通称はダビデの紋章。村濃（むらご）紋の村濃は「ぼかし染め」（同色を濃淡で表現した配色）のこと。

籠目

丸に籠目

籠目に剣片喰

丸に籠目模様

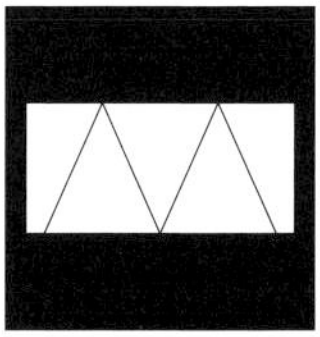
二階堂家村濃

畠山家村濃

変わり輪違い

六つ輪違い

三つ輪違い

変わり輪違い

繋ぎ輪違い

丸に三つ輪違い

輪違い木瓜

輪角繋ぎ

石持地抜三つ輪違い

輪違い崩し

結び輪違い

隅切角持地抜三つ輪違い

丸に輪違いに一文字

中輪に割輪違い

四つ輪違い

剣三つ輪違い

丸に輪違い崩し

五つ輪違い

第7章 文字紋

文字を象った紋章である。
その多くが、苗字にちなんだものである。
紋帖では「字紋」として載る。

主な文字紋と特徴

文字紋の中で最も多いのが、おそらく**万字紋**（273頁）である。**輪宝紋**（211頁）と並び、仏教のシンボルであり、多くの氏族が家紋として用いている。

ちなみに、信濃戸穏神社の神紋は鎌を卍に象ったもので、本来は**鎌紋**（168頁）に分類される。

万字紋に次いで多いのが**角字紋**（271頁）だ。角字は、「白舟角崩《はくしゅうかくくずし》」のことで、角崩し、腰文字ともいう。篆《てん》書体などを正方形に収まるように意匠化したものである。隙間をつくらないなどのルールがある。デザイン性が高い一方で、難読といえるだろう。

なお、江戸時代の紋帖には、筆記体のアルファベットを紋章化した「オランダ紋」と呼ばれるもの（字紋）が載る。

一番

その他、**文字紋**をざっと紹介しよう。

「一文字」は「始まり」を意味する。また、「秀でる」という意味で用いられた。これは、「一」を「カツ」と読んで、「勝つ」にかけたことによる。

「三文字」は三島神社への信仰を示すもの。

「八文字」は軍神・八幡神《やわたのかみ》を表わすとともに、「末広がりの縁起物」とされる。

「十文字」は人類最古のシンボルといえる。「十」は「多い」「終わり」という意味で、慣用的に用いられる文字だ。中国の晋には十字をつけた餅を食して厄を追い払い、福を招くという風習があった。日本でも鎌倉時代に流行した。この餅を「十字」と呼んだ。十字架の「クルス」という説もある。

「上文字」は「上に立つ」という意味で用いられる。上文字の一画目が下向きにはねているものは、分家が使用した。

文字《もじ》・字《じ》

文字の形によって紋の形はさまざまである。当然それぞれ意味も異なる。一般的に、文字紋は苗字にちなむものが多い。

主な使用家

山内氏
越智氏
島津氏
村上氏

伊集院家十文字

中輪に八文字崩し

一番文字

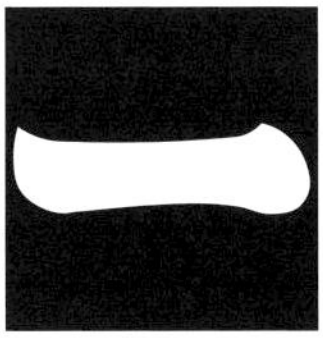
一文字

加治木家十文字

丸に八の角字

一二文字

角一文字

宮之城家十文字

丸に十文字

丸に三文字

丸に一文字

赤十字社

丸に十文字

毛輪に三文字

細輪に一文字

猪飼家十文字

丸に変わり十文字

毛輪に三文字

丸に一の角字

日置家十文字

丸に変わり十文字

丸に八文字

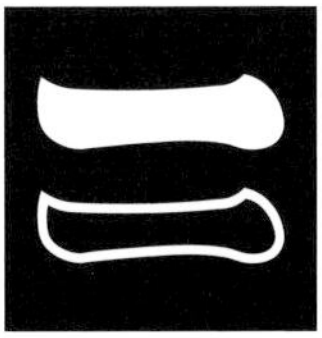
山内家一文字

百文字

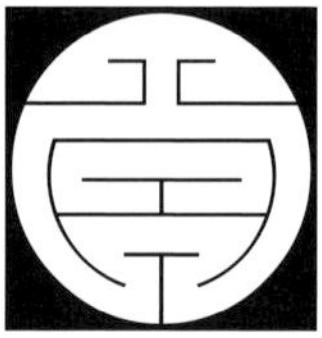
百文字

丸に上文字

大文字桜

丸に大文字

百文字

百文字

丸に右下げ上文字

変わり大文字桜

三つ大文字

百文字

百文字

変わり丸に上文字

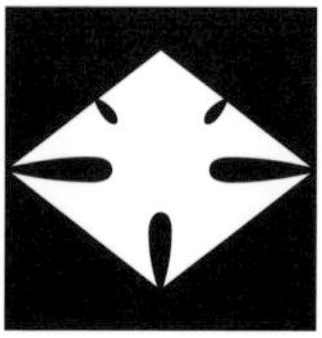
大文字菱

丸に三つ大文字

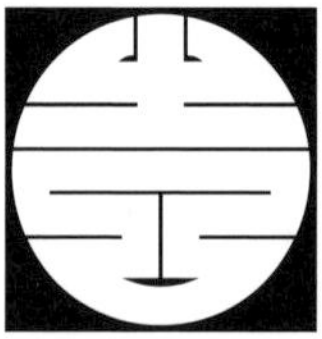
吉文字の丸

百文字

大一大万大吉

三つ太大文字丸

逆三つ大文字

丸に吉文字崩し

百文字

大一大万大吉

丸に大文字に中文字

三つ大文字片喰

三つ吉文字亀甲

百文字

大吉大一大万

上文字

五つ大文字桔梗

毘沙門堂山文字

鉢形山文字

山文字丸

丸に山文字

持合吉文字亀甲

天台宗山文字

剣形山文字

山文字丸

外雪輪に山文字

吉文字菱

輪王寺山文字

山文字菱

変わり山文字

尻合わせ二つ山文字

吉文字に二つ輪

増山家山文字

丸に山の角字

剣山文字

三階山文字

三つ星に吉文字
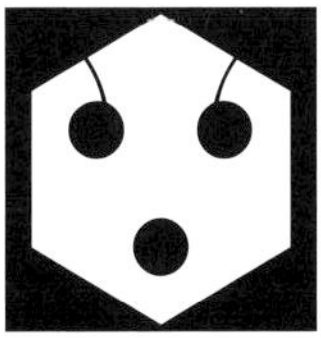
三宝院山文字

光琳三つ割山文字

剣山文字丸

三つ山文字

無文字

丸にい文字

三つ変わり光琳山文字

変わり剣山文字丸

尻合わせ三つ山文字

無文字

中輪に正文字

丸に祝文字

丸に古文字崩し

丸に二つ弓文字

丸に地抜い文字

丸に西文字

丸に祝文字

丸に戸の角字

三つ弓文字の丸

イ文字菱

三つ西の丸字

丸に小文字

戸沢大和守

平岩家弓文字

細輪にイ文字笹

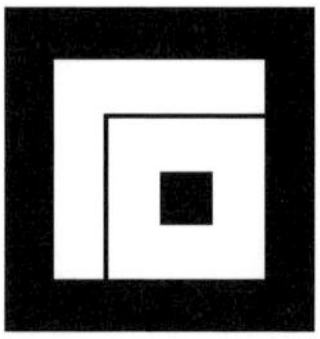
石の角字

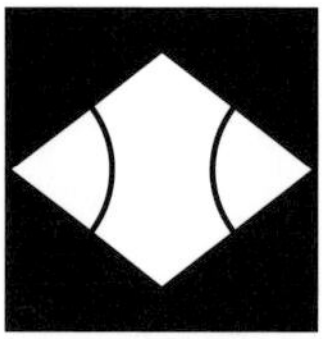
小文字菱

丸に壽文字

中輪に寄文字

岩文字丸

丸に石の角字

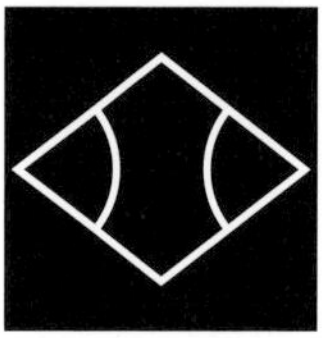
陰小文字菱

細輪に壽文字

中輪に寄文字

岩文字崩し

丸に丹文字

丸に正文字

壽文字菱

丸に古文字

丸に二つ弓文字

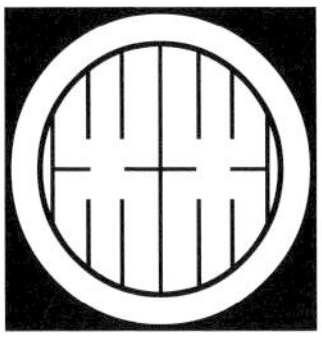
丸に林文字

木文字

丸に米文字

丸に地抜長文字鶴

丸に丹に一文字

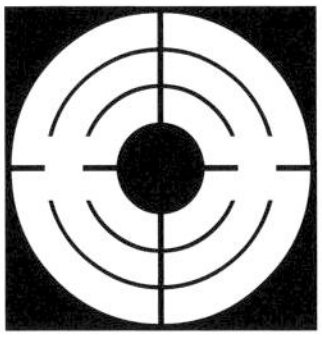
林文字丸

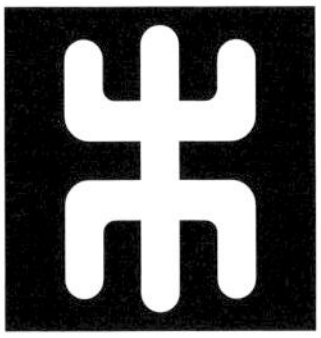
木文字

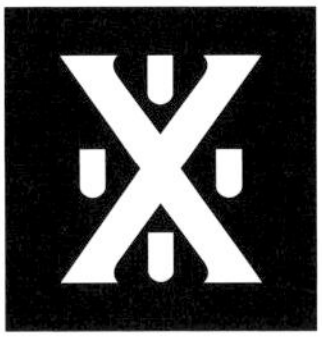
米文字

堂文字崩し

丸に中文字

細輪に國文字

木文字

本文字

堂文字崩し

中文字丸

毛輪に國文字

丸に木文字

丸に本文字

丸に堂文字崩し

中文字菱

葵文字

三つ木文字丸

丸に本の角字

丸に変わり福文字

中輪に三つ中文字

海老の篆字

丸に林文字

細輪に本文字

丸に福の角字

長文字鶴

丸に生文字

又一

橋文字丸

三つ寄せ松文字

杉の篆字

丸に由文字

隅切角に叶文字

日文字崩し

松文字丸

藤文字

丸に南文字

細輪に利文字

五文字

品文字丸

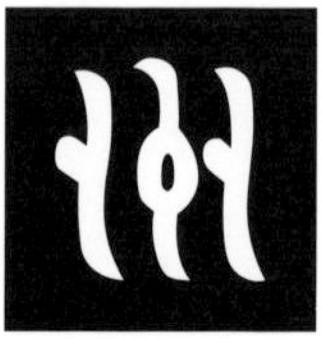
州文字崩し

丸に士文字

細輪に太文字

車文字

三つ寄せ内文字

明文字丸

丸に九文字

天文字崩し

丸文字

亀甲に抜有文字

三つさ文字丸

丸に政文字

細輪に森文字

一文字に久文字

兒文字

三つち文字丸

角字

かくじ

主に篆書体を四角形に収まるようにし、文様などに用いる。角字化する際、独自のアレンジが加えられることが多い。

主な使用家

不特定多数

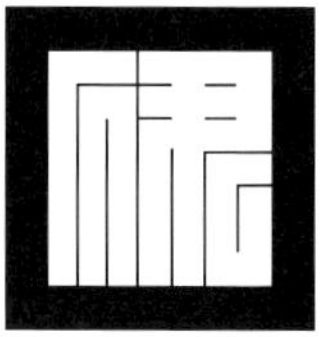
伊

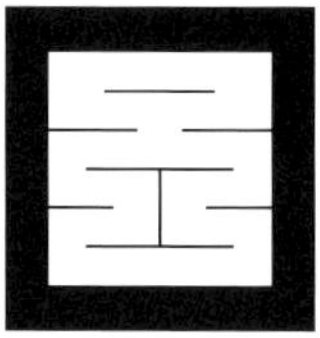
呂

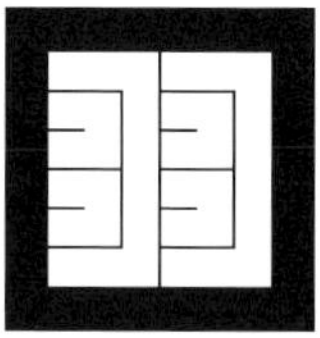
羽

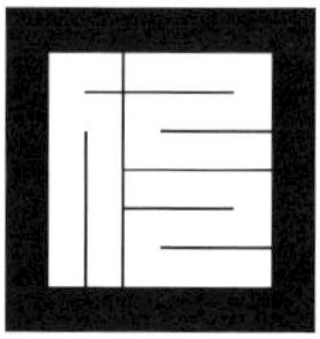
仁

穂

部

丸に川文字

丸に雪文字

丸に魚文字

丸に市文字

丸に鳩文字

丸に丁文字

丸に銭文字

丸に花文字

丸に玉文字

丸に田文字

丸に月文字

丸に鳳文字

讃岐金比羅宮

丸に武文字

丸に過文字

仏立の丸

丸にぬ文字崩し兎

丸に佐文字

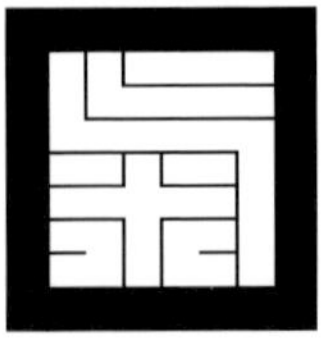
気
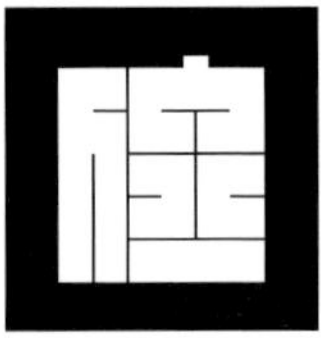
位
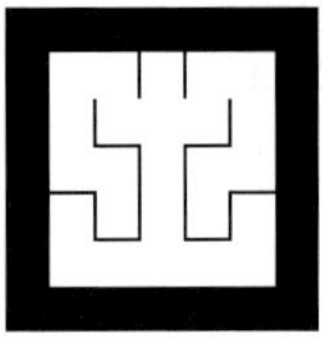
土

輪

富

文
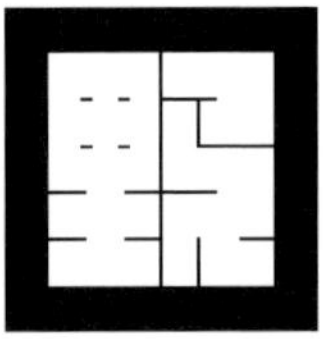
野
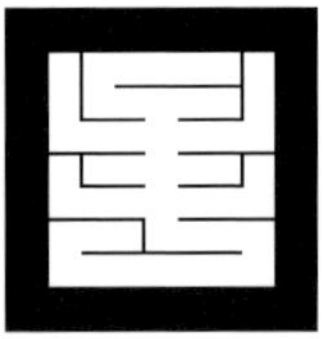
年

神
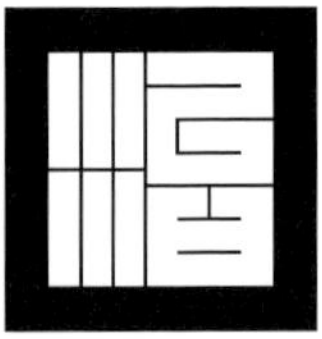
治

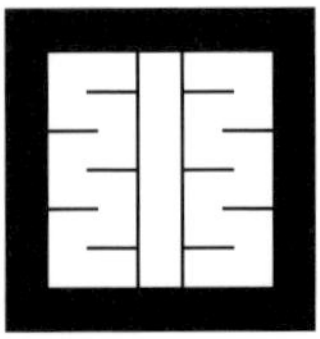
小
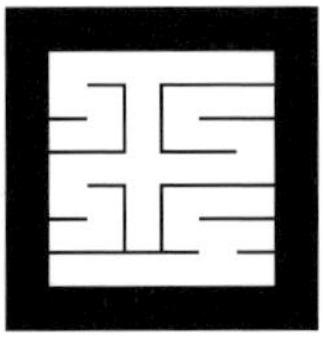
王
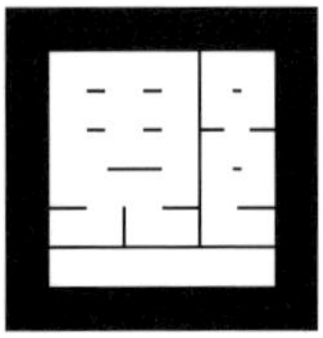
那

吉

龍

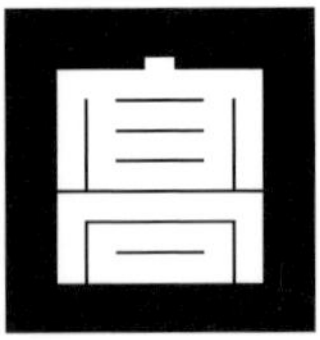
恵
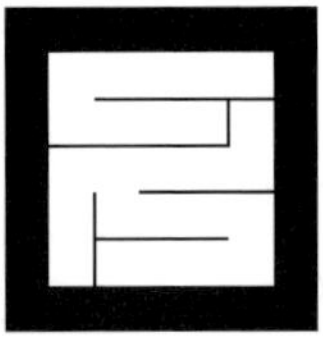
久

楽
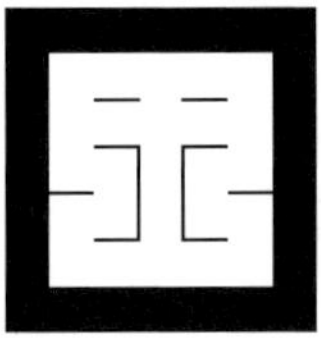
田

縫

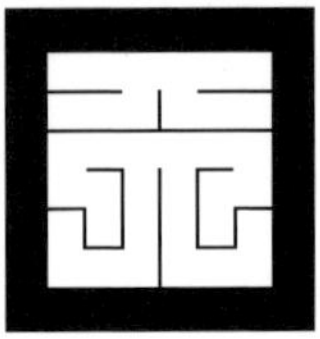
天

矢
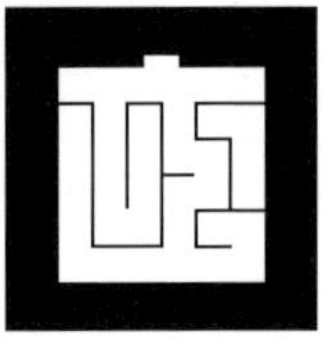
武

礼
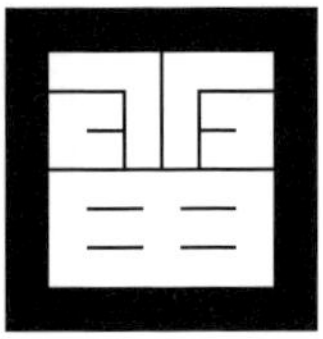
留

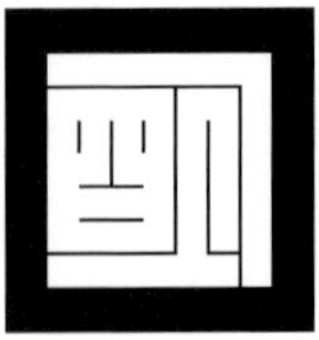
明

松
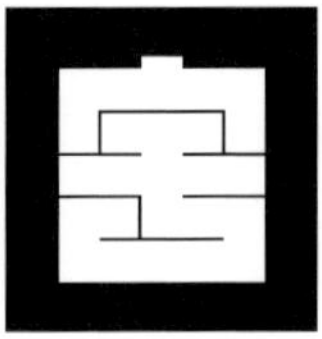
宇

宗
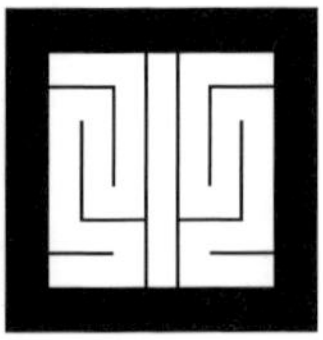
小

万字《まんじ》

卍はサンスクリット語で「スヴァスティカ」と呼ばれ、左万字を表わす。ヒンドゥー教や仏教で用いられる吉祥の印。

主な使用家

蜂須賀氏
津軽氏
横山氏
高木氏

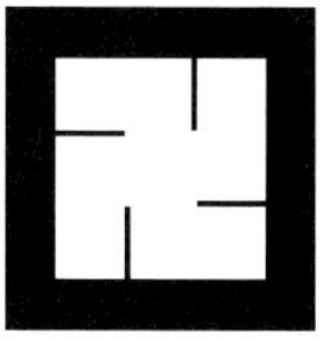
左万字

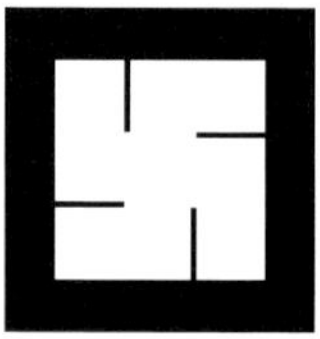
右万字

丸に左万字

陰左万字

石持地抜万字

隅立て左万字

丸に宮の角字

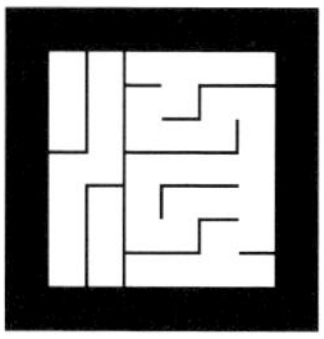
江

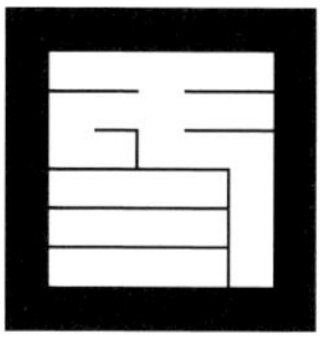
三

丸に竹の角字

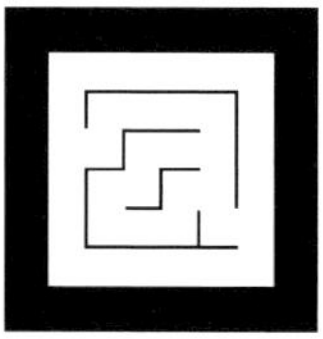
日

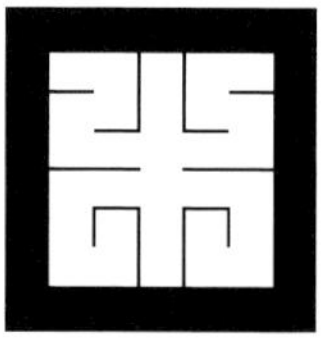
木

丸に桐の角字

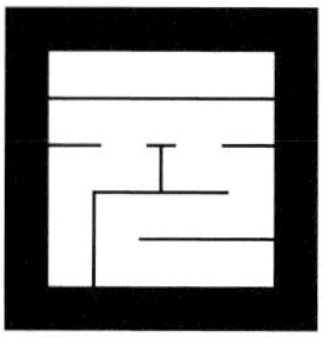
元

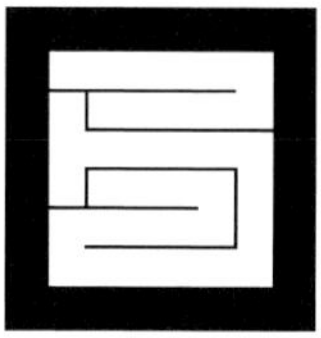
弓

丸に梅の角字

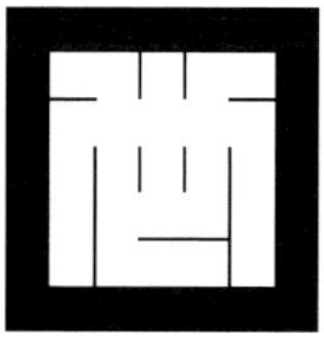
世

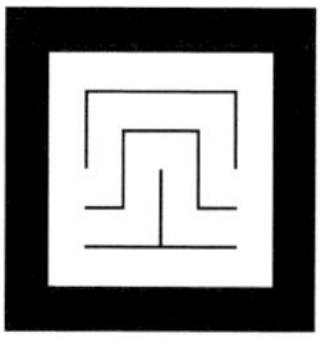
目

丸に鶴の角字

洲

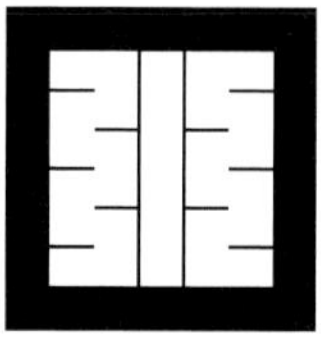
水

丸に亀の角字

丸に藤の角字

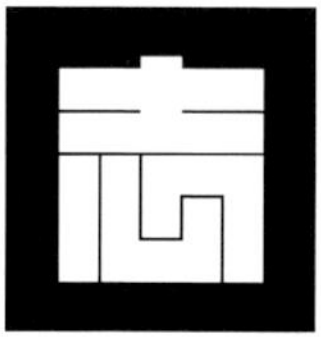
志

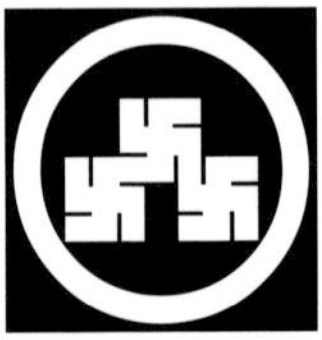
丸に三つ繋ぎ右万字

左右並び万字

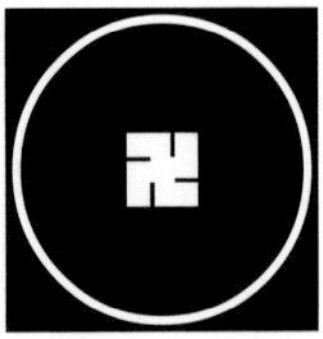
糸輪に豆万字

三つ五つ割万字菱

丸に隅立て右万字

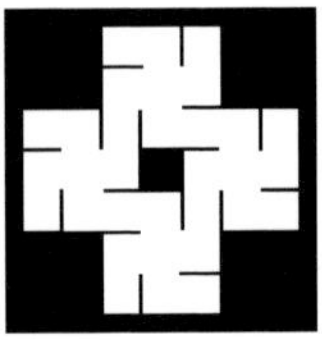
四つ万字崩し

捻じ万字

隅入り角に万字

三つ万字菱

五つ割万字

隅立て紗綾形万字

三つ万字の丸

四つ隅立て五つ割万字

五つ万字菱

隅立て五つ割万字

隅立て角地抜変わり万字

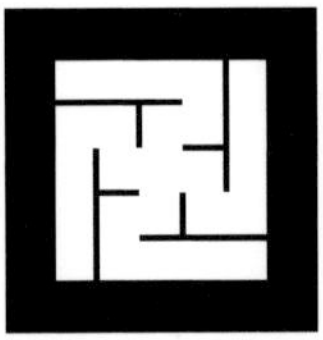
平万字崩し

変わり万字

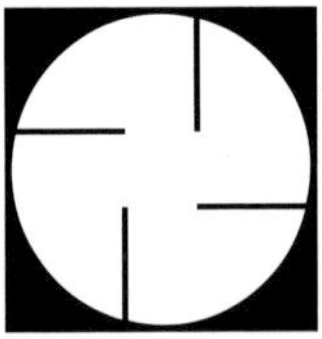
丸万字

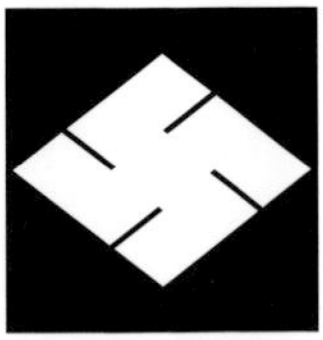
右万字菱

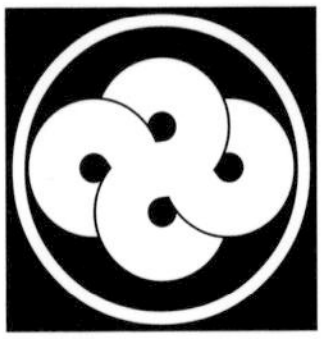
細輪に捻じ万字菱

隅立て万字崩し

剣先万字

陰丸万字

陰左万字菱

信濃戸隠神社（鎌卍）

万字崩し菱

左万字に輪

万字の丸

五つ割万字菱

第8章 図符紋 源氏香紋

図符紋は信仰や占いなどを目的として描かれた。
源氏香紋は『源氏物語』の54帖の香合わせにちなむ。

主な図符紋・源氏香紋と特徴

安倍晴明印紋は、晴明神社の神紋として有名。平安時代中期の陰陽師・安倍晴明が用いた魔除けの呪符、五行思想（木・火・土・金・水）を象った五芒星である。五芒星のほか、晴明判、晴明九字、ペンタゴン（ペンタグラム）とも呼ばれる。

桔梗の花に似るため、「晴明桔梗」と親しまれたことから、紋帖では「桔梗紋」に分類される。

九字護身法で「臨《りん》兵《ぴょう》闘《とう》者《しゃ》皆《かい》陣《じん》列《れつ》在《ざい》前《ぜん》」と印を組むが、**九字紋**はこれを略した九字を切る様（早九字）を象ったものである。使用家として代表的な遠山氏の例を見ると、**合子《ごうす》箸《はし》紋**から**格子紋**（ともに214頁）、そして九字紋に発展したようである。

陰陽道を基盤とする易学に深く関係する紋章としては、**円相天地紋**や、**太極図紋**、**八卦紋**などがある。

円相天地紋は、**石持（餅）紋**（206頁）や、**月紋**（27頁）、**日紋**（34頁）と同じ丸形をしている。これを家紋にしている例は極めて少ない。

八卦紋では、「乾・離・震・坤」が家紋として用いられている。

源氏香は、香木を焚き、香を当てる組香の一種である。その組合せは52通り。『源氏物語』の54帖のうち、「桐壷」と「夢浮橋」の巻を除いた52帖に当てはめる。5種の香木を、それぞれ5包ずつ用意する。

源氏香紋は、主にツリー構造の五本の縦線で描かれる。一見、**角字紋**（271頁）と似ている。文様にも用いられるが、家紋として使用が確認されているのは8種のみ。

図符《ずふ》

図符紋は種類が少ない。主に安倍晴明印、円相天地、九字、太極図、八卦などの紋がある。

主な使用家

船木氏
福原氏
遠山氏
真島氏

安倍晴明印（太晴明桔梗）

安倍晴明印（晴明桔梗）

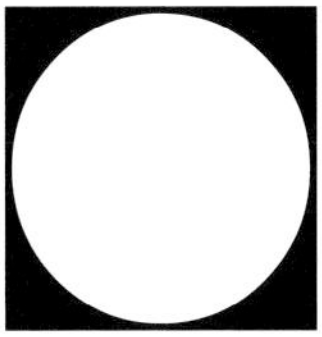

円相

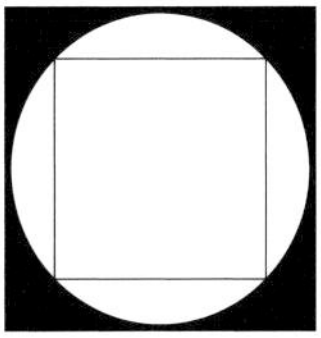

天地

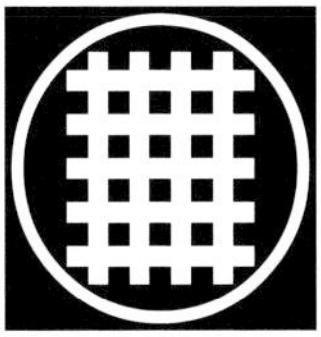

細輪に九字

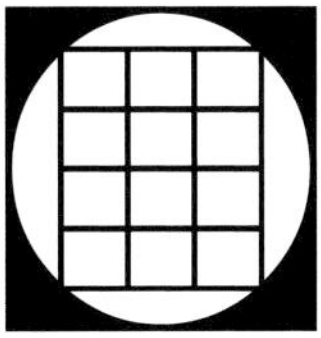

石持地抜九字

九字菱

太極図

風車に太極図

乾卦

離卦

震卦

源氏香《げんじこう》

源氏香紋は別名・香の図という。紋帖によっては、陰源氏香や、源氏香の名称を源氏香紋と組み合わせたものが載る。

主な使用家

佐竹氏
佐々氏
堀田氏
竹本氏

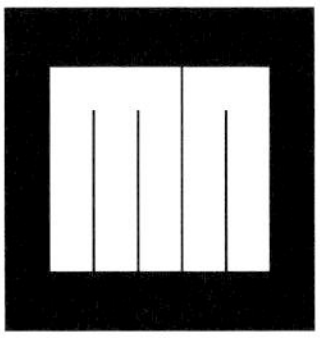

桐壺

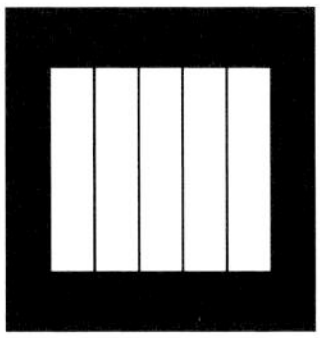

帚木

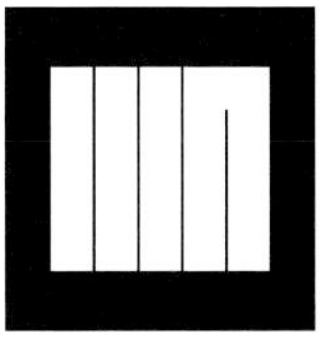

空蝉

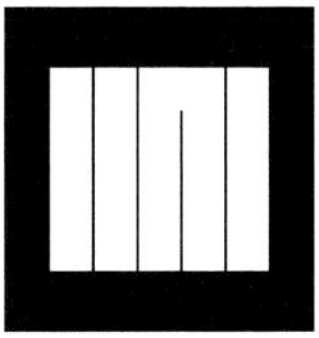

夕顔

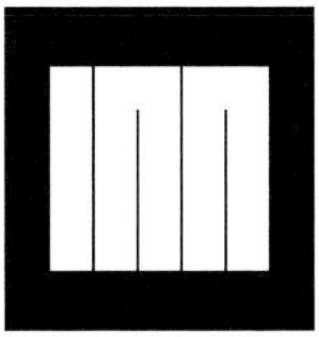

若紫

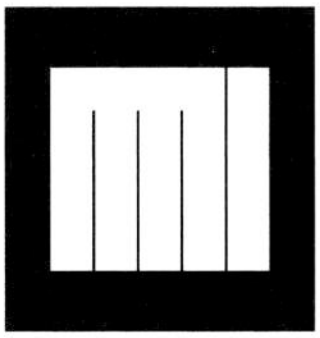

末摘花

真木柱

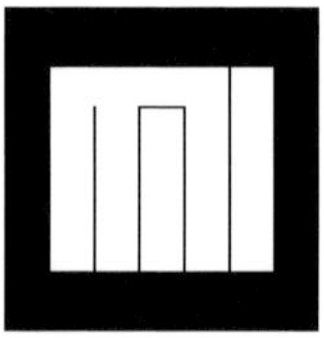
蛍

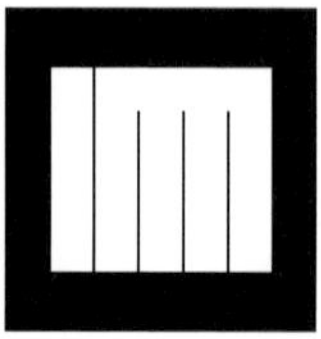
薄雲

明石

紅葉賀

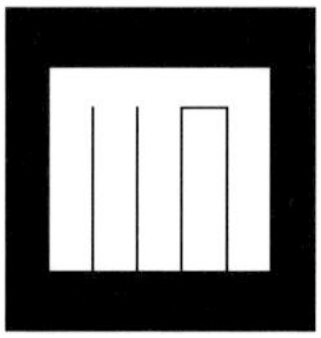
梅枝

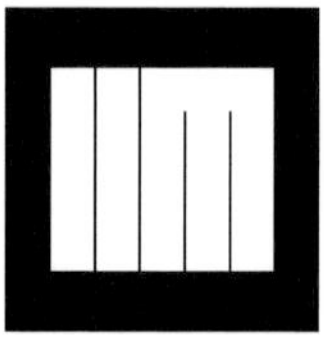
常夏

朝顔

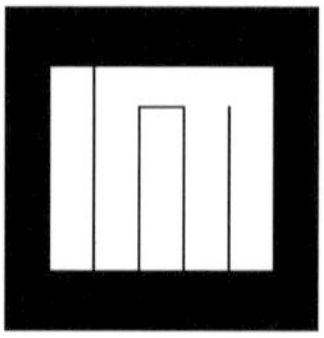
澪標

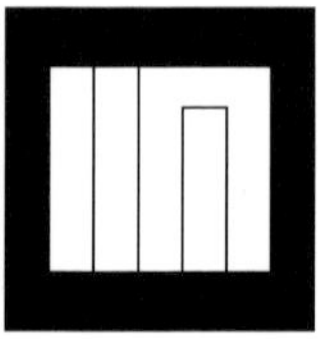
花宴

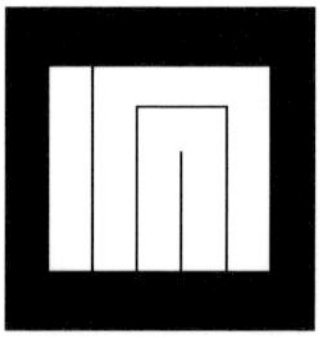
藤裏葉

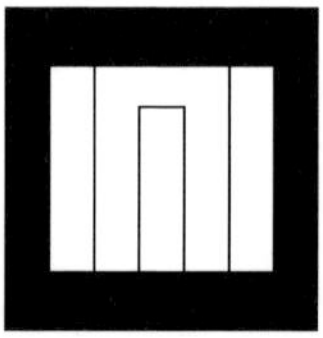
篝火

少女

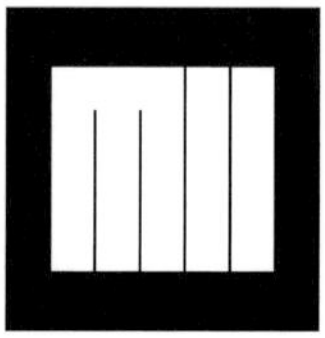
蓮生

葵

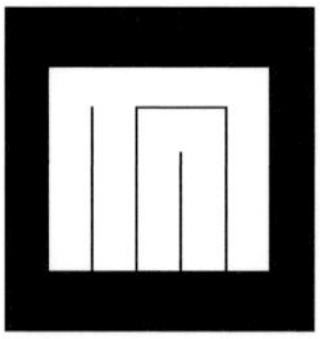
若菜上

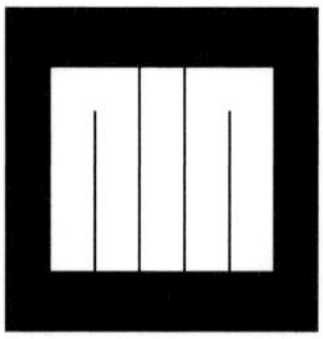
野分

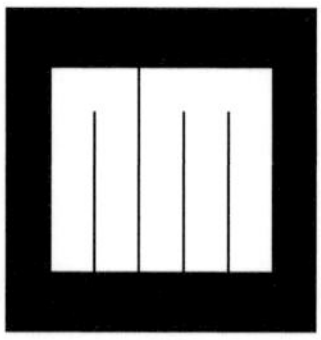
玉葛

関屋

賢木

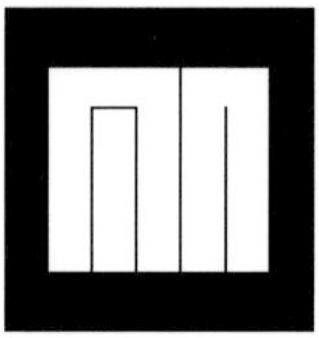
若菜下

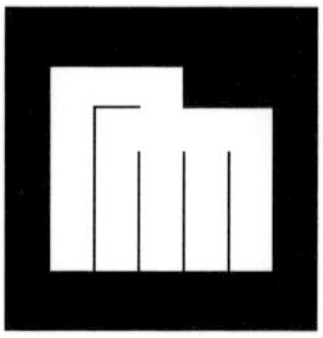
行幸

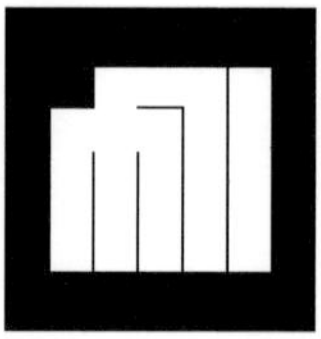
初音

絵合

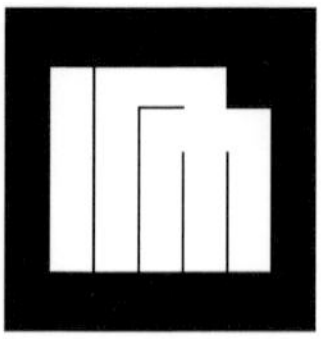
花散里

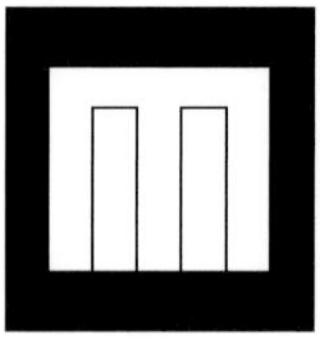
柏木

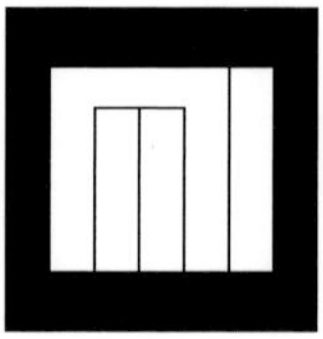
藤袴

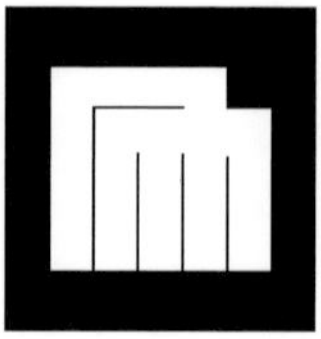
胡蝶

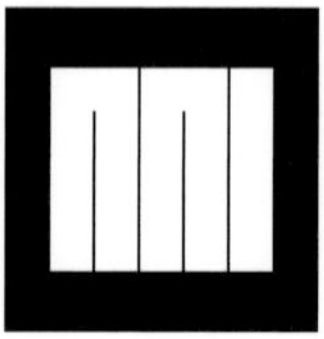
松風

須磨

宿木

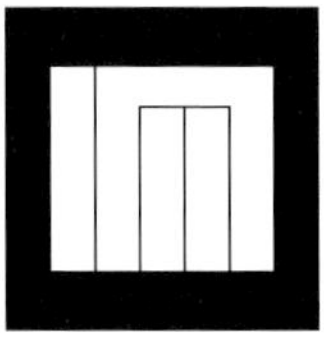
紅梅

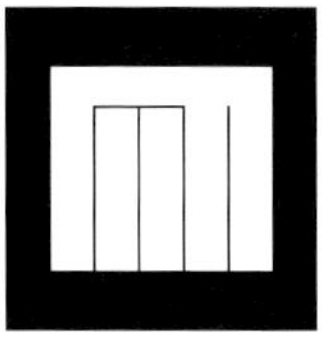
横笛

東屋

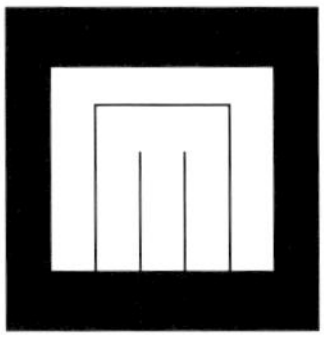
竹河

鈴虫

浮舟

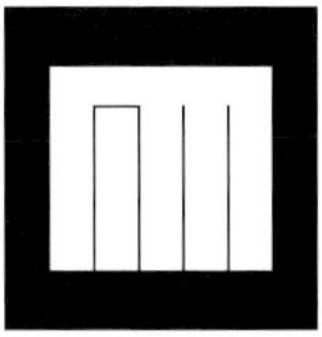
橋姫

夕霧

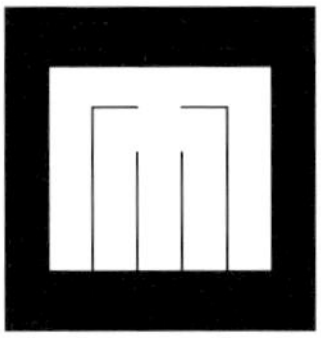
蜻蛉

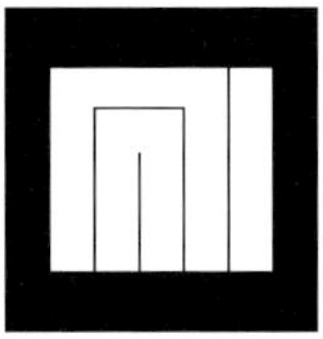
椎本

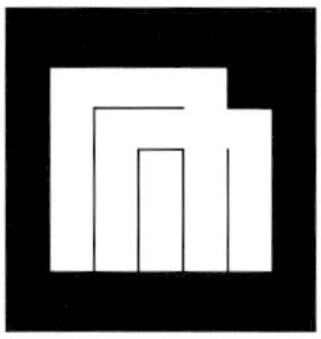
御法

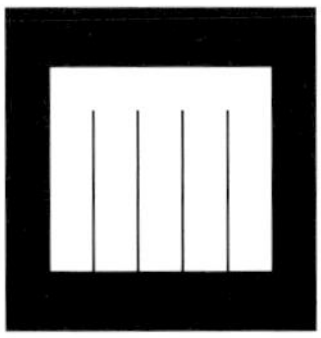
手習

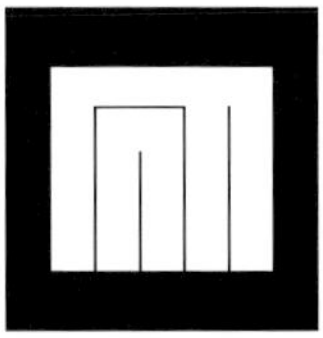
総角

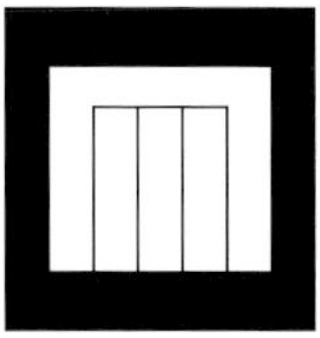
幻

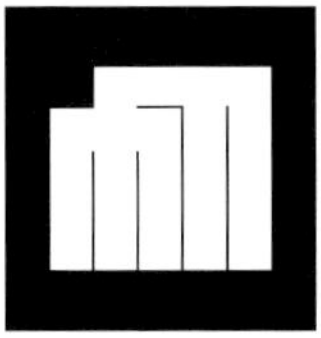
夢浮橋

早蕨

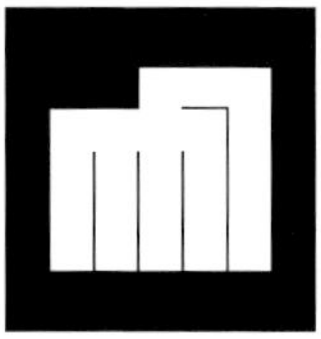
匂宮

索引

【あ】

【か】

【た】

【な】

参考文献

『日本紋章学』（沼田頼輔・新人物往来社）／『綱要　日本紋章学』（沼田頼輔・新人物往来社）／『見聞諸家紋』（新井白石・新人物往来社）／『日本紋章大図鑑』（新人物往来社）／『紋章の再発見』（ジョン・ダワー・淡交社）／『「家紋」の事典』（真藤建志郎・日本実業出版社）／『平成家紋』（京都紋章工芸協同組合）／『日本家紋総覧コンパクト版』（能坂利雄・新人物往来社）／『日本家紋総鑑』（千鹿野茂・角川書店）／『〔家紋と家系〕事典』（丹羽基二・講談社）／『紋帖による紋の違い』（京都紋章糊置協同組合）／『日本・中国の文様事典』（早坂優子・視覚デザイン研究所）／『都道府県別姓氏家紋大辞典』（千鹿野茂・柏書房）／『女紋』（森本景一・染色補正森本）／『日本史英雄たちの家紋』（新人物往来社）／『合戦絵巻　合戦図屏風』（新人物往来社）／『家紋の事典』（高澤等・東京堂出版）／『家紋を探る―遊び心と和のデザイン』（森本景一・平凡社）／『日本の家紋七〇〇〇』（新人物往来社）／『戦国武将100家紋・旗・馬印FILE』（大野信長・学習研究社）／『家紋主義宣言』（西村昌巳・河出書房新社）／『家紋歳時記』（高澤等・洋泉社）／『イラスト図解　家紋』（高澤等監修・日東出版）／『リプリントシリーズ7　見聞諸家紋』（関東史料研究会）

協力者

《図版協力》厚綿広至（グラフィックデザイナー）、亀井博美（京都家紋研究会）、藤森加奈江（グラフィックデザイナー）、宮川知美（ライター・デザイナー）

《取材協力》中村光雄（紋章上絵師）、野力修（紋章上絵師）、地主成利（紋章上絵師）、田中啓一（紋章上絵師）、香川紀弘（戦国史研究家）、田中豊茂（家紋World・播磨屋）、乾陽亮（乾陽亮設計事務所）、斎藤克明（和市場）、広中孝祐（有限会社アルファ企画）、本平基（デザイナー）

その他、「京都家紋研究会」（http://kakenkyoto.web.fc2.com/）のメンバー

森本勇矢（もりもと　ゆうや）
1977年京都府生まれ。一般社団法人京都家紋協会代表。日本家紋研究会副会長。京都家紋研究会代表。和文化遺産活用企画代表。テレビ番組への出演をはじめ、雑誌への寄稿や著書の出版、講演会などを多数開催し、日本固有の独自文化である家紋の魅力を後世に伝えるために活躍する。著書に『家紋無双』（知楽社、2018年7月刊行予定）などがある。

家紋無双　https://kamonmuso.com/
有限会社染色補正森本　http://omiyakamon.co.jp/

日本家紋研究会（にほんかもんけんきゅうかい）
家紋研究家の千鹿野茂により創設された家紋の研究グループで、その活動は約40年に及ぶ。現在は、家紋・歴史研究家の高澤等が会長を務める。副会長・小林雅成、森本勇矢、理事・森本景一。会員数は23名（2018年5月現在）。

日本家紋研究会　http://www.nihonkamon.com/

日本《にほん》の家紋大事典《かもんだいじてん》

2013年4月20日　初版発行
2022年6月1日　第7刷発行

著　者　森本勇矢
監修者　日本家紋研究会
発行者　杉本淳一

発行所　株式会社日本実業出版社　東京都新宿区市谷本村町3-29 〒162-0845
編集部　☎03-3268-5651
営業部　☎03-3268-5161　振替　00170-1-25349
https://www.njg.co.jp/

印刷／理想社　製本／若林製本

この本の内容についてのお問合せは、書面かFAX（03-3268-0832）にてお願い致します。
落丁・乱丁本は、送料小社負担にて、お取り替え致します。

ISBN 978-4-534-05068-7　Printed in JAPAN